Herderbücherei

Band 1054

D0522318

Über das Buch

Heutiger Bibelauslegung mangelt es oft an sinnlicher Wahrnehmung. Für den Autor ist dieser Mangel Teil einer allgemeineren Gefühllosigkeit: auch Christen ist es oft gleichgültig, wenn in der Außenwelt Totes an die Stelle von Lebendigem gesetzt wird, weil in ihrer eigenen Innenwelt zuvor etwas abgestorben ist. Diese Gefühllosigkeit ist eine der Bedingungen dafür, daß die überindustrialisierten Völker nach Räuberart leben: auf Kosten der Menschen in den armen Ländern, auf Kosten der Natur und der Zukunft. Das Neue Testament ist nicht an Räuber gerichtet. Seine Texte werden vergewaltigt, wenn wir uns als deren Adressaten sehen. Dürfen wir sie trotzdem empfangen, dann als wunderbare Gabe der Armen an uns verdächtig Reiche; als Stimme verfolgter Christen – „wir reichen Ihnen die Erfahrung unserer Leiden" (Solschenizyn). So versucht der Autor, das Neue Testament „mit Vernunft und allen Sinnen" (Luther) zu lesen im Lichte seiner Ursprünge – der Verfolgung, des Glaubens und der Liebe, des Gebets, der Taufe und des Mahles –, um das Wort zu vernehmen, das Jesus als der Sohn des Schöpfers ist.

Über den Autor

Dieter Nestle, Dr. theol., geboren 1931 in Stuttgart. Studium der Evangelischen Theologie, Schüler von D. Dr. Ernst Fuchs. 1963 bis 1973 Pfarrer an der Elisabethkirche in Marburg/Lahn, seither Professor für Evangelische Theologie/Religionspädagogik an den Pädagogischen Hochschulen Lörrach und Karlsruhe.

Dieter Nestle

Die Ursprünge des Neuen Testaments

oder:

Vom Wort Gottes,
das unter die Räuber fiel

Herderbücherei

Originalausgabe
erstmals veröffentlicht als Herder-Taschenbuch

Meiner Mutter
Gertrud Nestle geborene Stadelmann
und
meinem Bruder Helmut

– sie bebauen die Erde
und wollen sie bewahren

(Genesis 2, 15)

Gib,
daß wir durch Worte
Deinem Wort nicht schaden

Aus dem Gebet des Abu Muhammad
al-Quasim al-Hariri (1054–1122)

Inhalt

Vorwort

*Das moderne Experiment
eines Lebens ohne Religion
ist gescheitert.*
Ernst Friedrich Schumacher
(1911–1977)

Umkehr zum Leben lautet die Losung des Deutschen Evangelischen Kirchentags 1983. Diesen Ruf versuche ich hier aufzunehmen. Auch wenn es für alles andere zu spät ist, so ist es doch nicht zu spät zur Umkehr (Lk 23, 39–43).

Das Umkehren gilt unserem ganzen Leben, also auch der Art, wie wir im Neuen Testament lesen. Ich hoffe, mit diesem Buch helfen zu können zu einem lebendigeren Umgehen mit der Heiligen Schrift. Ursprünge wahrnehmen heißt auch ursprünglicher wahrnehmen: selber sehen, selber hören, selber erspüren. – Die Zeit, in der es um Informationen der Bibelwissenschaftler für Nichtwissenschaftler ging, scheint mir im wesentlichen vorbei zu sein. Heute muß sich die Bibelwissenschaft neu den Erfahrungen des Glaubens und Lebens öffnen, müssen Experten die Laien befragen (wie es kürzlich auf dem Programm eines Kongresses „Lernen für den Frieden" zu lesen war). Im Folgenden ist es mir daher nicht so sehr um Information zu tun; auch nicht um einen Gedanken-, sondern eher um einen Spaziergang, bei dem ich den Leser auf das eine und andere aufmerksam mache, was er zwar selber sehen könnte, aber – gleichsam geblendet vom Zeitgeist – leicht übersieht.

Zum Schreiben ermutigt hat mich das Lektorat der Herderbücherei. Dazu genötigt hat mich die Erfahrung, daß das, was z. B. Studierende brauchen, um mit einem biblischen Text in einer Schulstunde umzugehen, in den Kommentaren selten zu finden ist. Zum Exempel: Wie geht's zu, wenn der glückliche Finder aus Mt 13, 44 „alles verkauft"? Was sagen die Leute, seine Frau und seine Kinder? Was ruft Jesus wach mit seiner Schatzgeschichte in den Herzen seiner Hörer? Sieht man die nicht förmlich vor Ihm sitzen, die armen, müden Kerle? In allem gleichen sie dem Mann im Gleichnis, nur in dem einen nicht, daß sie einen solchen Schatz nie gefunden haben und nie finden werden – was machst Du ihnen den Mund wäßrig, Jesus?

Die wichtigste Regel für jenen lebendigeren Umgang mit dem Text ist auch die einfachste und lautet: Worte wörtlich nehmen; sinnlich wahrnehmen, wovon die Rede ist. So werden wir beim Lesen selbst lebendiger und widerstehen im Lesen tödlichen Tendenzen der Gegenwart. Also: umkehren zum Leben und die Worte der Schrift wörtlich nehmen!

Das vorliegende Buch ergänzt und setzt fort mein „Neues Testament elementar – Texte der Verfolgten, Sprache der Liebe, Wort Gottes" (Neukirchener Verlag, Neukirchen-Vluyn 1980). Die Lektüre jenes ist aber für das Verständnis dieses Buches nicht vorausgesetzt. Einige Parallelen waren daher nicht ganz zu vermeiden.

Noch einige Hinweise: Zitate aus der Bibel sind (falls nicht anders vermerkt) in der Fassung der revidierten Lutherübersetzung von 1956 gegeben, wobei kleinere Abweichungen nicht immer eigens notiert sind. Ich habe zunächst versucht, mit der neuen Einheitsübersetzung zu arbeiten. Ich bitte den Leser, es dem Protestanten nachzusehen, wenn er sich nach wiederholter Prüfung dann doch an die seiner Meinung nach geistig und geistlich überlegene Sprache Martin Luthers hielt. (Das Beispiel einer solchen Prüfung findet sich auf S. 36 ff.) Die in Klammern angegebenen Bibelstellen nennen meist nur einige, nicht alle jeweils in Frage kommenden Stellen. Eine Bibelausgabe mit Angabe der Parallelen hilft dann dem weiter, der tiefer eindringen möchte. Die Anmerkungen wollen kein wissenschaftlicher Apparat sein, sondern dem Weiterfragenden da und dort einen Hinweis geben.

Mit den gelegentlichen Zitaten aus Gedichten Friedrich Hölderlins wollte ich wenigstens die Erinnerung wachhalten an jene Sprache, in der eigentlich von den Ursprüngen des Neuen Testaments gesprochen werden müßte.

In diesen Tagen starb D. Dr. Ernst Fuchs (11. Juni 1903–15. Januar 1983). Er bleibt mein Lehrer, mein Vater in Christus. Wem die folgenden Seiten etwas zu geben vermögen, der hat insbesondere auch für diesen Lehrer der Kirche zu danken. Durch ihn lernte ich, auf das Wort zu hören, das Opfer Jesu zu ahnen und das Licht der Eucharistie zu sehen.

In Dankbarkeit und Liebe widme ich dieses Buch meiner Mutter und meinem Bruder: seit vielen Jahren betreiben beide organisch-biologischen Garten- und Landbau, das Lebendige ehrend. – Endlich denke ich an die Bäume, die um dieses Buches willen gefällt werden. Möge es auch ihrer nicht allzu unwürdig sein.

Hasel (Baden), im Januar 1983   *Dieter Nestle*

Abkürzungen

Die biblischen Bücher werden nach den Loccumer Richtlinien abgekürzt:

Altes Testament

Gen	Genesis (1. Buch Mose)
Ex	Exodus (2. Buch Mose)
Lev	Leviticus (3. Buch Mose)
Num	Numeri (4. Buch Mose)
Dtn	Deuteronomium (5. Buch Mose)
Koh	Kohelet (Der Prediger Salomo)
Jer	Jeremia

Neues Testament

Mt	Das Evangelium nach Matthäus
Mk	Das Evangelium nach Markus
Lk	Das Evangelium nach Lukas
Joh	Das Evangelium nach Johannes
Apg	Die Apostelgeschichte
Röm	Der Brief an die Römer
1Kor	Der 1. Brief an die Korinther
2Kor	Der 2. Brief an die Korinther
Gal	Der Brief an die Galater
Eph	Der Brief an die Epheser
Phil	Der Brief an die Philipper
Kol	Der Brief an die Kolosser
1Thess	Der 1. Brief an die Thessalonicher
2Thess	Der 2. Brief an die Thessalonicher
1Tim	Der 1. Brief an Timotheus
2Tim	Der 2. Brief an Timotheus
Tit	Der Brief an Titus
Phlm	Der Brief an Philemon
Hebr	Der Brief an die Hebräer
Jak	Der Brief des Jakobus
1Petr	Der 1. Brief des Petrus

2Petr	Der 2. Brief des Petrus
1Joh	Der 1. Brief des Johannes
2Joh	Der 2. Brief des Johannes
3Joh	Der 3. Brief des Johannes
Jud	Der Brief des Judas
Offb	Die Offenbarung des Johannes

Außer den allgemein üblichen wurden folgende Abkürzungen verwandt:

E	Einheitsübersetzung der Bibel, Stuttgart 1980
EKG	Evangelisches Kirchengesangbuch, 1950
GL	Gotteslob, Katholisches Gebet- und Gesangbuch, 1975
N	Nestle (die Übersetzung der so bezeichneten Bibelstelle stammt vom Verfasser)
par.	zur angegebenen Stelle aus den Evangelien gibt es eine (par.) oder mehrere (parr.) Parallelstellen in den andern neutestamentlichen Evangelien.

Vom Wort Gottes,
das unter die Räuber fiel

*Es war ein Mensch
der ging von Jerusalem
hinab nach Jericho
und fiel unter die Räuber*

*die zogen ihn aus
und schlugen ihn
und gingen davon
und ließen ihn halbtot liegen.*
(Lk 10,30)

Es mag schon ein paar Jahre her sein, doch noch fühle ich beim Erinnern den Schmerz. Ich kam an einem Rummelplatz vorbei. Aus den Lautsprechern der Achterbahn dröhnte es:

Glory, glory, Hallelujah,
glory, glory, Hallelujah,
when the saints go marchin' in.

Unwillkürlich schaute ich mich um, ob nicht ein Schwarzer in der Nähe und Zeuge sei dieser Schändung des Leidens und der Hoffnung seiner Brüder. – Was geschieht hier? Das Lied des Glaubens amerikanischer Negersklaven wird mißbraucht als lärmende Werbung. Das ist schlimm genug. Aber schlimmer ist: durch solchen Mißbrauch werden die Worte voll Seligkeit in ihr Gegenteil verkehrt. Ohne daß es den Besuchern des Rummelplatzes klar wird, aber damit um so wirkungsvoller, hämmert das Lied uns nun die Botschaft des Satans in die Seele: es ist kein Gott; es gibt nur die grauenhafte Leere – und den Lärm, den Rausch, das Blendwerk, die uns über diese Leere hinwegtäuschen. Bedarf es einer Strafe für solchen Umgang mit der Hoffnung der Versklavten? Kann einer furchtbarer strafen als jener sich straft, der durch seinen Mißbrauch sich selbst die Tür zuschlägt, durch welche die Geheiligten einziehen, dorthin, wo die Tränen des Leids sich verwandeln in Tränen der Freude – glory, glory, Hallelujah?

Dieses Erlebnis wurde mir ein Inbild dafür, was der Bibel bei uns geschieht, bei uns in den Kirchen der industrialisierten, reichen Länder, bei uns in der Bundesrepublik. Da wird viel Mühe und Geld darauf verwandt, die Bibel zu übersetzen in die Welt und in die Sprache von heute. Mit feinen und groben Methoden, teuren Mitteln und komplizierten Medien sucht man klarzumachen, was sie uns heute noch zu sagen habe, ihre Aktualität zu erweisen, die Übertragung, den Transfer vom Damals ins Heute zu bewerkstelligen – und wie die verräterischen Ausdrücke alle heißen. Doch diese Versuche gelingen nicht. Sie dürfen auch nicht gelingen. Denn was ist das für eine Sprache, in welche die Bibel da übersetzt werden soll, und was für eine Welt?

Es ist die Sprache des Machers, des homo faber, und die Welt einer überindustrialisierten Gesellschaft. Ihr derzeitiges Industriesystem vernichtet – jedermann wahrnehmbar – die Grundlagen, auf denen es errichtet wurde, die natürlichen, sittlichen, kulturellen und religiösen. Wir leben wie eine Räuberbande: auf fremde Kosten; auf Kosten der Menschen in den weniger industrialisierten Ländern, auf Kosten der nächsten Generationen, auf Kosten der Biosphäre im Ganzen. Eine Gesellschaft, die derart auf Kosten der Zukunft lebt, kann keine Zukunft haben. Sie geht ihrem raschen Ende zu. Wir brauchen an dieser Stelle keine Erwägungen darüber anzustellen, wie sich dieses Ende vollziehen, und was zuerst kommen wird: das Inferno entfesselter atomarer, chemischer und biologischer Massenvernichtungsmittel (von Waffen sollte man hier nicht mehr sprechen), der soziale Kollaps oder der Zusammenbruch der Natur.

Warum haben wir, die Kirchen, ich selbst nicht viel früher erkannt, was da geschieht? Warum sehen es viele selbst heute noch nicht? Haben wir uns täuschen lassen, weil der Satan sich verkleidete in den Engel des Lichts (vgl. 2 Kor 11,14)? Weil die Zerstörung der Natur und Kultur sich gab als sozialer Fortschritt und also im Gewande der Liebe erschien; weil die Verelendung von Mensch und Natur in den nichtindustrialisierten Ländern sich kleidete in den Stolz, eine führende Industrienation zu sein, die vom Export lebt und Entwicklungshilfe leistet; weil die systematische Anreicherung der Natur mit hochgiftigen Chemikalien als Pflanzenschutz daherkam und derselbe Vorgang in den südlichen Ländern doch der Sicherung unserer Arbeitsplätze dient? Mit einem Wort: *wir verwechseln Tod und Leben.* Wem einmal die Augen geöffnet wurden, der sieht, wohin er blickt, denselben Vorgang: Lebendiges wird ersetzt durch Totes, Wiese durch Beton, Tiere durch Maschinen, Menschen durch Computer, Namen durch Nummern; Vielfalt durch Einförmigkeit, Gewachsenes durch Gemachtes. Die lebendigen Unterschiede ebnen wir ein und machen die Nacht zum Tage und den Tag zur Nacht, den Feiertag zum Werktag und den Werktag zum Feiertag; wir nivellieren den Unterschied der Lebensalter, der Geschlechter, der Jahreszeiten, der Kulturen, der Sprachen. Eine Faszination durch das Tote und Tötende hat uns ergriffen. Wir beugen uns dem Triumph des Lauten über das Leise, des Brutalen über das Zarte, des Grellen über das Nuancenreiche, des Gigantischen über das Wohlproportionierte, des Grobschlächtigen über das Anmutige – und so fort. Und jedesmal geben wir ein Stück lebendiges Leben dem Tode preis, verwechseln Tod und Leben:

> Mein Volk tut eine zweifache Sünde:
> MICH, die lebendige Quelle, verlassen sie
> und machen sich Zisternen,
> die doch rissig sind und kein Wasser geben (Jer 2,13).

Die Bibel in unsere Sprache übersetzen, das heißt, sie der Herrschaft dieser schauerlichen Verwechslung zu unterwerfen, das Wort des Lebens (1 Joh 1,1) in die Sprache des Todes zu übersetzen! Eben das, was jenem Spiritual angetan wurde. Was sollte die Bibel uns, der Räuberbande, zu sagen haben? Es sei denn das Eine:

Die Zeit ist gekommen, zu verderben,
die die Erde verderben (Offb 11,18).

Dies schreibe ich als Vater und als einer, der mitverant-
wortlich ist für die Ausbildung von Lehrern. Ich werde es
nie vergessen: Unser damals vierzehnjähriger Sohn las Herbert Gruhls „Ein Planet wird geplündert"[1]. Eines Abends
beim Gute-Nacht-Sagen schaut er mich mit großen Augen
an: „Vater, ist wahr, was in diesem Buche steht?" – „Ich
fürchte: ja!" – „Dann lohnt es sich ja gar nicht mehr für mich
zu leben!"

Wie kann ich, den verdienten Untergang vor Augen, Vater
und Erzieher sein? Und trage ich, wenn ich die Gefahr
nenne, nicht selbst dazu bei, daß sich der Schatten der Katastrophe lähmend auf die Seelen vieler junger Menschen
legt? Erfüllt die Prophetie des Untergangs sich selber?

Hier geht es nicht mehr nur um Moral. Jetzt geht es um
Religion. Mein Glaube ist gefordert. Ich glaube, daß keiner
von uns das Recht hat, Kindern den Lebensmut und die Le-
bensfreude zu nehmen. Mir macht es Sorge, wenn ich sehe,
wie Erwachsene Kinder derart mit den Problemen beladen,
mit denen sie selbst nicht fertig werden, daß das Ergebnis
nur Verzweiflung sein kann. Doch woher nehme ich den
Mut, angesichts einer menschlich ausweglosen Lage ohne
Flucht und ohne Heuchelei die Lebenskräfte junger Menschen zu stärken? Ich weiß nicht, woher andere ihn nehmen.
Mir kommt er von den Kindern selbst zu. Das Kind vor mir
ist Gottes Wort an mich. ER sagt: Ich will, daß Leben lebt;
ich will mich meines Geschöpfes freuen (Gen 2,3; Ps
104,31; Jes 62,5). Diesem Wort soll ich glauben – mit jenem
Glauben, von dem Paulus sagt, daß er auf Hoffnung glaubt,
da nichts zu hoffen ist (Röm 4,18). Nach außen mag dieser
Glaube manchmal zum Verwechseln gleichen der gottlosen
Hoffnung „so schlimm wird's schon nicht werden, und wir
kommen auch jetzt noch einmal davon". Was die Hoffnung
des Glaubens von der Hoffnung der Gottlosen unterscheidet, ist das Bekenntnis der Schuld. Wir stehen vor unseren

Kindern nicht da als die großen Meister. Wir müssen ihnen sagen: Wir gingen alle in die Irre (Jes 53,6); ihr müßt es besser machen als wir. – Trotzdem dürfen wir nicht vor unserer Aufgabe davonlaufen. Denn mit jedem Kind, das mir anvertraut wird, schickt ER mir sein Wort. Tief hat es mich bewegt, als mir dies aufging; keiner – und sei seine Sünde wie die eines Hitler oder Stalin – keiner darf das Kind, das ihn anlächelt, ins Gesicht schlagen und sagen: „Mich darfst du nicht anlächeln; über mich mußt du weinen!"

Uns droht keine Katastrophe – sie droht nicht, denn sie ist in vollem Gange. Sie nötigt zur Umkehr. Die Kraft zur Umkehr kommt nicht aus dem verzweifelten Wunsch, wir könnten doch noch abwenden, was nach menschlichem Ermessen nicht abzuwenden ist. Denn die Umkehr ist *Umkehr zum Leben*. Es gilt kein Schielen danach, wie wir noch einmal davonkommen könnten. Denn uns nimmt die Wahrnehmung des Lebendigen voll in Anspruch. So wie die Sorge für ein hilfloses Neugeborenes die Verantwortung seiner Nächsten unbedingt fordert (Hans Jonas, Das Prinzip Verantwortung, Frankfurt/M. 1979, besonders S. 234–242). Keine noch so katastrophale Situation entbindet uns von der Wahrnehmung der Verantwortung für uns anvertrautes Leben. Nichts gibt es, was sie sinnlos machte. Ich las einmal das Romanfragment eines russischen Autors, in dem er versucht hat, das Unbeschreibliche zu beschreiben: den Gang von Juden zur und ihren Tod in der Gaskammer. Da ist eine kinderlose jüdische Frau. Ihr Mann ist Arzt. Als solcher ergreift er die vermeintliche Chance, läßt sich aussondern. So tritt die Frau den Weg in die Kammer ohne den Gefährten an. Da hängt sich ein Kind an sie, das seine Eltern verloren hat. So wird sie Mutter, wird dem Kinde Mutter in den letzten Minuten ihres und seines Lebens. So bergen sie sich gegenseitig. – Umkehr zum Leben: nichts darf, nichts kann uns irremachen daran, daß wir gerade im Aufschein des Endes aller unserer Dinge uns erst recht ungeteilt zuzuwenden haben der Wahrnehmung der Lebendigkeit des Lebendigen, wo und wie immer es uns anvertraut ist.

Zu dem Lebendigen, das uns anvertraut ist, gehört auch das Neue Testament. Es will heute neu von uns gehört werden als das Wort Gottes, des Schöpfers, als Wort des Lebens (1 Joh 1,1). Versuchen wir, es als Wort des Schöpfers zu hören, dann wird das Lesen in diesem Buch zum Akt des Widerstands gegen die herrschende Verwechslung von Leben und Tod. Der Widerstand begnügt sich nicht mit der Bekämpfung des Irrigen, bleibt nicht stecken im Re-Agieren auf das Tödliche, sondern wird ganze Umkehr zum Leben sein. Einer der schönsten Namen, den der Glaube für Jesus gefunden hat, heißt *Fürst des Lebens* (Apg 3,15 im Sinne von „Anführer ins Leben"). Diese Umkehr wird dann auch Abkehr sein von manchen verbreiteten Auffassungen im Umgang mit dem Neuen Testament. Ob wir bei diesem Umgang auf dem rechten Wege sind, dafür haben wir ein klares Kriterium: *Die Wirklichkeit wird wirklicher und die Bibel wörtlicher werden.*

Wir werden mit der Schrift umgehen mit „Leib und Seele, Augen, Ohren und allen Gliedern, Vernunft und allen Sinnen" (Martin Luther[2]). Dieser Umgang hat längst begonnen: wir singen, malen, dichten, tanzen im Umgang mit der Bibel; wir machen eine Fünf-Sinne-Meditation, wir sprechen ihre Texte im Chor, zeichnen Formen, entdecken Rituale, spielen – und bei jeder dieser scheinbaren Neuigkeiten finden wir uns wieder in der großen Gemeinschaft derer, die vor uns und neben uns diesen anderen Umgang längst pflegen: der afrikanischen Christen, die Gott zu Ehren tanzen; der mittelalterlichen Mönche, die ihre Bibelhandschriften andächtig mit Ornamenten schmückten; der orthodoxen Kirche, die alle Sinne und Glieder des Menschen in ihre Liturgie einbezieht; der mittelalterlichen Kirche mit ihren Mysterienspielen. Die Freude kehrt zurück, und es wartet auf uns die Entdeckung, daß das höchste Gebot auch das schönste ist: IHN lieben in Seinen Kreaturen, in Seinem Jesus, in Seinem Wort von ganzem Herzen, von ganzer Seele und mit aller unserer Kraft (vgl. Dtn 6,4; Mk 12,28–30).

Freilich: wer bei sich und anderen die Wahrnehmungsfähigkeit für die Lebendigkeit des Lebendigen stärkt, der mehrt nicht nur die Freude, sondern auch das Leiden. Was vielen seiner Nachbarn noch selbstverständlich ist – ihm wird es mehr und mehr fremd und unheimlich. Die Umkehr zum Leben entfremdet uns der herrschenden Welt des Todes. Ihr gilt der Glaubende als welt- und wirklichkeitsfremd (vgl. Röm 12,2; 1 Petr 1,1; 2,11; Hebr 11,13). Der Freude am Leben des andern wird das gierige Immer-mehr-haben-Wollen (der Motor des sogenannten Wirtschaftswachstums!) fremd (1 Joh 2,15–17). Die Mißachtung des Kreatürlichen kann sich dagegen nicht auf das Neue Testament berufen. (Die Beziehung zwischen moderner Preisgabe der Schöpfung an die technisch-industrielle Ausbeutung und sich christlich gebender schöpfungsvergessener Pilgermentalität hat Ole Jensen in seinem lesenswerten Buche „Unter dem Zwang des Wachstums", München 1977, aufgezeigt).

Wer Liebe sagt, sagt ja zu beidem: zur hellen Freude und zur tiefen Trauer. Darum weist der Apostel uns nicht an, die Freude der Fröhlichen zu vergällen und die Trauer der Traurigen zu verdrängen, sondern er sagt: sich freuen mit den Fröhlichen, weinen mit den Weinenden (Röm 12,15 – N). Die Unfähigkeit zum Trauern und die Unfähigkeit zum Fest sind eins. In beidem, in Freude und Trauer der Liebe, sind wir abhängig vom Gegenstand der Liebe. Lebendigsein ist Abhängigsein. Und jeder kann selber prüfen, inwieweit modernes Streben nach Unabhängigkeit und Freiheit (von Angst und Schmerz, von anderen Menschen usw.) auch eine Form jener Verwechslung von Tod und Leben ist.

In den engen Grenzen, die mir selbst und die diesem Buch als solchem gesetzt sind, möchte ich dazu beitragen, daß wir spüren, wie lebendig das angeblich tote Buch Neues Testament ist (I); daß wir seine Texte wahrnehmen als lebendiges Geschehen zwischen Brüdern damals und als die uns anvertraute Frucht ihres Lebens und Leidens (II), indem wir ihre Ursprünge im Beten, Taufen und Feiern des Mahls, in Glauben, Lieben und Hoffen der ersten Gemeinden aufsuchen und so die Texte begreifen als Ereignisse des Heiligen Geistes (III), in denen nicht nur eine gute Nachricht weitergegeben, sondern Jesus als Gottes Schöpferwort uns in Vernunft und allen Sinnen anspricht, damit Gott GOTT sei: nicht unser, sondern Sein der Glanz, die Ehre, die Kraft (Offb 4, 11 – IV).

I.
Das Neue Testament als Buch

Der Buchstabe tötet,
der GEIST ist's, der lebendig macht.
Paulus (2 Korinther 3,7)

Ich habe keine schlimmere Anmaßung gefunden,
als wenn jemand Ansprüche an Geist macht,
solange ihm der Buchstabe noch nicht deutlich
und geläufig ist.
Johann Wolfgang Goethe
(Wilhelm Meisters Lehrjahre[3])

1. Das Buch wahrnehmen als uns anvertrautes Leben

Das ist eine meiner liebsten Erinnerungen: Unser Vater hockte mit uns Kindern im Garten auf dem Boden, und wir sahen zu, wie ein Schmetterling – es war ein Schwalbenschwanz – seine Puppenhülle verließ. Mit feuchten, eng zusammengefalteten Flügeln saß er, leise zitternd, in der Sonne. Dann legte er vorsichtig diese Flügel zu ihrer vollen Größe auseinander, so daß sie aussahen wie betend gefaltete Hände. Endlich löste er sie behutsam voneinander, breitete sie dem Sonnenlichte hin, hob sie sachte auf und nieder – und schöpfungsmorgenfrisch schauten wir die Formen und Farben. Dann hob er sich auf und flog davon auf seine Blumenreise. Warum ich Ihnen das erzähle? Weil ich möchte, daß wir auch dann, wenn wir ein maschinell hergestelltes Neues Testament in der Hand halten, spüren: hier entfaltet sich Leben!

Zweimal will ich hin und her gehen zwischen dem Buch, wie wir es heute vor uns haben, und seinen Anfängen, um dieses Entfalten zu gewahren:

– vom Druck zum Autograph (z. B. dem von Paulus selbst diktierten und unterschriebenen Brief);
– von der anfänglichen Einzelschrift zum Kanon (d. h. der heutigen Sammlung urchristlicher Schriften im Neuen Testament);

- von der Übersetzung ins Deutsche zum griechischen Urtext;
- vom gesprochenen strömenden Wort zu der aufs Papier
fixierten Schrift.

Dabei geht es mir nicht so sehr um Informationen als um ein
Einüben im Wahrnehmen von Leben.

Dabei machen wir dankbaren Gebrauch von der Arbeit
der Bibelwissenschaft – einer jahrhundertelangen, hinge-
bungs- und oft entsagungsvollen Arbeit. Gleichzeitig geht es
aber in den folgenden Abschnitten auch darum, Mißver-
ständnisse abzuwehren, die sich mit der weiten Verbreitung
sogenannter wissenschaftlicher Ergebnisse eingeschlichen
haben.

Ein erstes Mißverständnis verbindet sich mit dem Wort
Ursprung. Die historische Wissenschaft sucht sich dem Ursprung zu nähern wie 1858 Barton und Speke den Quellen
des Nils. Die Leidenschaft dieser Forschung hängt damit zusammen, daß man im Ursprung jenen Punkt zu finden hofft,
der der Wahrheit am nächsten steht. So fragte man nach dem
ältesten Evangelium und nach den ältesten Stücken darin,
um herauszufinden, wer Jesus wirklich war – in der kaum
bedachten Annahme, darin das Kriterium für das wahre
Christliche zu gewinnen. Indem man sich Jesus zeitlich und
räumlich näherte, glaubte man, sich ihm auch in der Sache
zu nähern. Man suchte die Wahrheit mit den Methoden der
Kriminalpolizei. Doch wir wissen heute, wie unsicher gerade
die Aussagen von Augenzeugen sind. Manche scheinen es
zu bedauern, daß wir keinen Dokumentarfilm des Lebens
Jesu haben. Aber selbst wenn in einem solchen Film die uns
fremden aramäischen, griechischen und lateinischen Laute
auf deutschen Untertiteln erschienen – könnten wir verstehen, worum es geht? Wir würden ja nur das sehen, was Ton-
meister und Kameramann für wichtig hielten. Was wäre das
wohl im Falle Jesu? Lassen sich Lieben und Glauben, läßt
sich das Geheimnis des Opfers so dokumentieren? Worum
es geht, kennt jeder aus eigener Erfahrung: Zwei gehen am

selben Baum vorbei; der eine sieht fünf Klafter Brennholz, der andere das Inbild kräftig-schönen Lebens, ein von Gott Gepflanztes (Ps 104,16), ein Gleichnis des wahren Menschen (Ps 1,3). Oder: Zwei Soldaten im Feld essen vom selben Kuchen aus dem Feldpostpaket: Der eine ißt Kalorien, der andere schmeckt die ganze Liebe heraus, die die Mutter zu Haus in den Kuchen hineingebacken hat. Letztes Beispiel: Ein Fachmann kann eine Menge Aussagen machen über eine gute Geige: ihr Alter, die Holzart, die Beschaffenheit des Lacks usw. All diese Aussagen sind richtig. Aber die Wahrheit über die Geige erfahre ich erst, wenn ein meisterhafter Spieler sie zum Tönen bringt. Erst da bin ich ihrem Ursprung nah. Wir müssen also *unterscheiden zwischen Anfang und Ursprung, zwischen Richtigkeit und Wahrheit.* Jenen Meister, der das Instrument Neues Testament zum Klingen bringt, so daß Jesus in seiner Wahrheit erscheint, ihn nennt das Neue Testament den HEILIGEN GEIST (Joh 16,13).

Es besteht also kein Grund, eine Bibelwissenschaft zu bekämpfen, die jene Fragen nach dem Anfang und nach der Wirklichkeit zu beantworten sucht. Ihre Antworten können verwirrend, sie können aber auch nützlich sein (z. B. – um im Bilde zu bleiben – um eine beschädigte Geige sachgemäß zu restaurieren). Die Wissenschaft kann der Wahrheit dienen. Die Wahrheit sagen kann sie nicht.

Dies auch darum, weil sie auf Feststellungen aus ist. Wie der Schmetterlingsforscher früherer Zeiten die getöteten Falter säuberlich auf Nadeln spießte, so geht es der Wissenschaft um Befunde. Der von ihr gesuchte Ursprung wird dann etwas Starres: z. B. die Lehre, der Wille, der Anspruch Jesu. Aber das Wort Ursprung meint ja einen Vorgang, einen Ur-Sprung, bei dem herauskommt, was drinnen steckte, das Wesen erscheint. Bei diesem Vorgang kommt dem zeitlich Früheren nicht selbstverständlich höherer Rang zu als dem zeitlich Späteren. Der Wahrheit jenes Falters sind wir nicht näher, wenn wir ihn im Stadium des Eis oder der Puppe betrachten, und nicht ferner, wenn wir seinen Flug verfolgen. Nahe sind wir ihr, wenn wir sein wunderbares

Entfalten wahrnehmen vom Ei zur Raupe, von der Raupe zur Puppe, von der Puppe zum Falter, vom Leben zum Sterben, vom Sterben zum Leben. In solchem Wahrnehmen werden wir selbst lebendiger. Das heißt im Blick auf das Neue Testament: Die historische Frage nach dem Anfang ist berechtigt. Aber durch das bloße Zurückgehen auf der Zeitlinie kommen wir der Wahrheit nicht näher. Über die Nähe zu ihr – und das heißt: zu Gott! – entscheidet nicht die Chronologie. Deshalb haben die älteren Schriften des Neuen Testaments nicht automatisch Vorrang vor den jüngeren, und die Schrift im Ganzen nicht automatisch vor späteren Texten des Glaubens.

Wenn also in diesem Buch von Ursprüngen des Neuen Testaments die Rede ist, dann nicht im Sinne historisch fixierter Punkte, sondern im Sinne von Lebensvorgängen, in denen der eine göttliche Ursprung des Neuen Testaments aufblitzt – wie Paul Gerhardt singt „mein Herze geht in Sprüngen und kann nicht traurig sein" (EKG 250,13).

Des wahren Ursprungs, so hatten wir am Beispiel der Geige gesehen, werden wir gewahr nur im Gebrauch. Dieser Gebrauch ist – das Beispiel lehrt es – nicht etwas Zweites, das nachträglich zur Sache selbst hinzukommt. Er ist vielmehr das Erste; um seinetwillen wurde die Geige gebaut. Um der Ursprünge des Neuen Testaments inne zu werden, dürfen wir seine Texte nicht von ihrem Gebrauch trennen, sondern wir haben sie – wie die Geige – im lebendigen Umgang zu verstehen. Dazu noch ein Beispiel: In meinem Elternhaus hängt eine alte griechische Ikone der Mutter Gottes. Ganz dunkel ist sie geworden im Lauf der Zeit. Soll man sie restaurieren lassen? Sie sähe dann wieder aus wie neu. Aber wäre das Bild damit ursprünglicher? Jahrelang hing es in einer Kirche oder einer Stube, ein Öllämpchen brannte davor, die Menschen schlugen das Kreuz und beteten vor ihm. So wurde das Bild dunkel. Aber eben dies gehört zu seiner Wahrheit. Denn für diesen Gebrauch wurde es geschaffen – aus dem Beten für das Beten. Und nur in solchem

Gebrauch ist das Bild ganz, was es ist. Das ist wichtig. Denn immer noch kann man Eindruck machen mit dem Argument, es gelte, den Goldgrund wegzukratzen, mit dem das Bild Jesu in den Evangelien übermalt sei. Das heißt: man will die Sache haben ohne ihren Gebrauch, die Geige ohne Klang, ein Neues Testament ohne Andacht und ohne Liebe, und das heißt: ohne Kirche. So wird es zum toten und darum tötenden Buchstaben, und keine noch so raffinierte Methode kann zum Leben erwecken, was wir selbst zuvor getötet haben. Dagegen sollen die folgenden Abschnitte dazu helfen, das Neue Testament als uns – wie ein Kind – anvertrautes Leben lebendig wahrzunehmen.

2. Vom Druck zum Autograph

Ich bitte den geneigten Leser, eine kleine Übung mitzumachen: Nehmen Sie Ihre Bibel in die Hand. Spüren Sie ihr Gewicht. Betrachten Sie die Spuren des Gebrauchs (oder Nichtgebrauchs). Erinnern Sie sich, woher Sie das Buch haben (Geschenk? Kauf? Erbe?). Bedenken Sie, durch wie vieler Menschen Hände das Buch gegangen ist vom Buchhändler über den Packer im Verlag, die Mitarbeiter in der Binderei und Setzerei bis zu denen, die den Text für den Druck festgelegt und die Korrekturen gelesen haben. Und weiter in Gedanken von der Papierfabrik bis zu den Bäumen, die seinetwegen gefällt wurden; und andererseits zu denen, die direkt und indirekt an der Übersetzung ins Deutsche gearbeitet haben. Die Liste ist unvollständig. Durch wieviel Hände ist das Buch gegangen! – Doch weiter! Erst seit Gutenbergs Entdeckung um 1455 kann man Bücher drucken. In den vierzehn Jahrhunderten zuvor wurden die biblischen Texte von Hand abgeschrieben. Vielen dieser Handschriften sieht man die Liebe, Treue, Geduld und Andacht an, mit der das geschah. Mit heutigem Schreibgerät würde ich für eine schmucklose Abschrift des Neuen Testaments etwa 230 Stunden brauchen. An einer schön geschriebenen, mit Initialen und Miniaturen geschmückten Vollbibel mochte ein mittelalterlicher Mönch Jahre arbeiten.

Die Bibel wurde – und wird! – abgeschrieben, aufbewahrt, weitergegeben, oft genug unter Opfern und Gefahren für Leib und Leben. Blutbibeln zeugen bis heute davon, daß allein der Besitz dieses Buches immer wieder mit Lebensgefahr verbunden ist. Euseb von Cäsarea (um 263–339) berichtet in seiner Kirchengeschichte (VIII 2,4, hg. von H. Kraft, Darmstadt 1967):

„Es war das neunzehnte Jahr der Regierung des Diokletian, der Monat Dystros, bei den Römern Martius genannt, als beim Herannahen des Festes des erlösenden Leidens (d.h. am 23. Februar 303) allenthalben ein kaiserlicher Erlaß veröffentlicht wurde, welcher befahl, die Kirchen bis auf den Grund niederzureißen und die Schriften zu verbrennen, und verfügte, daß Inhaber von Ehrenstellen ihre Würden, und Bedienstete, sofern sie im Bekenntnis des Christentums verharrten, die Freiheit verlieren sollten. So lautete das erste Edikt gegen uns."

Erst durch das sogenannte Mailänder Toleranzedikt Kaiser Konstantins vom 30. April 311 wird dieser Verfolgung ein Ende gemacht. Bis dahin also ist alles christliche Schrifttum mehr oder weniger Untergrundliteratur! Welcher Schatz für eine Christengruppe waren in jenen 250 Jahren die Rollen mit dem Text der Evangelien oder eine Handschrift mit den Briefen des Paulus oder gar – in etwas späterer Zeit – Bücher, die zusammen den ganzen Text des Alten und Neuen Testaments enthielten!

Gehen wir noch einen Schritt zurück: In der Weltstadt Ephesus sitzt ein Mann in Untersuchungshaft. Die Not ist groß für diejenigen, die diesen Mann brauchen als Leiter, Berater, Tröster und Beter. Denn der Mann kann nicht sicher auf einen guten Ausgang seines Prozesses rechnen. Da kommt ein Bote herüber übers Meer von den Freunden in Philippi mit Grüßen und Gaben. Er hat nicht viel Zeit; mit dem nächsten Schiff muß er zurück. Unser Mann kann ihm nur einen kurzen Brief auf einem Blatt mitgeben. Dieser

Brief ist uns erhalten; denn der Mann ist der Apostel Paulus, und sein Dankbrief steht in Phil 4,10–20. – Um dieselbe Zeit mag es gewesen sein, da meldet sich ein junger Mann bei Paulus und seinen Freunden: Kann ich bei Euch bleiben? Er kann. Aber es stellt sich heraus: Der Bursche ist Sklave, seinem Herrn davongelaufen – und der Herr ist Christ, dem Paulus nicht unbekannt. Was tun? Daran führt kein Weg vorbei: der junge Mann muß zurück. Aber Paulus gibt ihm einen Brief mit, der soll verlesen werden, wenn die Christen dort zusammenkommen im Hause seines Herrn. Wird Paulus die Worte finden, um allen gerecht zu werden: dem erbosten und vielleicht nicht unbeträchtlich geschädigten Herrn, den anderen Sklaven in der Gemeinde; dem Jungen, der seine Zuflucht gesucht hat beim Apostel Jesu Christi und zum Glauben gekommen war; dem staatlichen Recht, das Beihilfe zur Sklavenflucht unter Strafe stellte; vor allem aber dem HERRN, dem Paulus als Apostel dient? Und werden diese Worte dort von allen recht gehört werden? (Vgl. meine Auslegung des Phlm, aaO. [S. 10], S. 97–110).

Ein paar Jahrzehnte danach wird ein führender Christ aus derselben Gegend wegen seiner Tätigkeit in die Verbannung geschickt auf die kleine Insel Patmos in der Ägäis. Über seine zurückgebliebenen Freunde bricht ein Pogrom herein. Wieder einmal werden Menschen um ihres Glaubens willen geachtet wie Schlachtschafe (vgl. Röm 8,36). Viele fallen ab. Die standhaft bleiben, werden getötet (Offb 13,6–10; 14,13). So vermag der Verbannte eine irdische Zukunft für die Gemeinden Christi nicht mehr zu sehen. Was hat er seinen Freunden in dieser Stunde zu sagen? Wer übernimmt es, ihnen sein Wort hinüberzuschmuggeln aufs Festland? Was geschieht, wenn seine Schrift in der kleiner gewordenen Zahl der Glaubenden gelesen wird, wenn sie einander dann den Friedenskuß geben und das Mahl miteinander feiern?

So oder so ähnlich entstanden die neutestamentlichen Schriften. Was für Ereignisse, was für *Geschichten!* Und wie wenig helfen uns die meisten heutigen Bibeldrucke dazu, das Gewicht dieser Geschichten zu erwägen; uns dessen inne werden zu lassen, wieviel Leben, wieviel Leiden in das Buch eingegangen sind, das wir ohne Risiko für den Lohn einer Stunde uns kaufen können!

Geschichten also haben wir vor uns. Auch wenn die neutestamentlichen Briefe keine Geschichten erzählen, so sind sie doch *Ereignisse*. Teil einer Geschichte, die ohne sie anders verlaufen wäre – so wie ein gutes, treffendes Wort immer ein Ereignis ist, das der jeweiligen Geschichte eine Wendung gibt. – Wie aber gehen wir mit Geschichten um? Mit Geschichten, die sich ereignen? Meine Schwägerin, Mutter zweier Kinder, ist querschnittgelähmt; sie lebt im Rollstuhl. Ein Scheunentor löste sich beim Schließen aus seiner Halterung und fiel auf sie. Das ist die Geschichte. Was sagt sie? Fast unendlich viel. Und jedem etwas anderes: meinem Bruder etwas anderes als den beiden Kindern; den Verwandten, den Leuten von der Versicherung, dem Hersteller des Tores usw. – jedem etwas anderes. Was sagt diese Geschichte der Frau selbst, deren Leben von einer Minute zur andern so tief verändert wurde? Sie alle müssen mit dieser Geschichte leben. Sie wurde uns zum Schicksal. So erzählt auch die Bibel in vielen Geschichten eine Geschichte, die der Welt zum Schicksal wurde. Wir müssen mit ihr leben. Wie immer wir uns zu ihr stellen mögen.

Daran sehen wir, daß die landläufige Frage, *was* die Bibel zu sagen habe, zu kurz greift. Es ist zu wenig, ihr eine Lehre über Gott und die Welt (Dogmatik) oder eine über unser Verhalten (Ethik) zu entnehmen. Es ist unangemessen, ihre Texte auf eine Feststellung zu reduzieren nach dem Muster „der Autor will damit sagen, daß ...". Diese Art des Umgangs mit der Schrift hat ja die eigentümliche (unausgesprochene) Tendenz, den Text überflüssig zu machen. Wenn ich weiß, *was* der Text sagen will, brauche ich ihn nicht mehr. Damit hat jedermann einen einfachen Maßstab, an dem er zeitgenössische Äußerungen über die Bibel messen kann: machen diese den Text überflüssig oder zeigen sie auf, inwiefern er unersetzlich ist? Führen sie aus dem Text heraus oder tiefer in ihn hinein? Gewinnen die Worte der Schrift an

Gewicht und Glanz, und zugleich unsere eigene Wirklichkeit an Tiefe, oder werden die Texte im Grunde vergleichgültigt? Für wieviel Richtigkeiten (und Irrtümer) wird die Bibel bemüht, für die man sie in Wahrheit gar nicht braucht!

Begriff und Geschäft der *Auslegung* der Bibel haben oft eine gesetzliche Struktur: wie man die Paragraphen eines Gesetzbuches auf den konkreten Fall anwendet, so sucht man die Schrift anzuwenden auf den Fall unseres Lebens. Dieser gesetzlichen Struktur entspricht die erwähnte Was-Frage. Aber ist die Bibel ein Gesetzbuch? Ist sie das für die Kirche? – Oder ist sie ein Licht (Ps 119,105)? Beim Licht heißt die Frage nicht, wie lege ich es aus, sondern, wie gehe ich damit um? Stülpe ich den großen Scheffel darüber, oder stelle ich es auf den Leuchter, damit es allen leuchtet (Mt 5,15)? Darum spreche ich statt von auslegen[4] lieber davon, wie wir mit der Bibel *umgehen,* welchen Gebrauch (lateinisch: usus oder fruitio) wir von ihr machen. Wir brauchen nicht traurig darüber zu sein, daß uns damit eindeutige Aussagen im Stil des Gesetzes verwehrt sind darüber, was denn die Bibel zu dem oder jenem zu sagen habe. Verwehrt ist damit ja nur der gewalttätige Umgang mit den Texten, bei dem die sogenannte biblische Wahrheit zur Waffe wird, zum verletzenden statt zum heilenden Wort. Willkür im Umgang mit der Heiligen Schrift brauchen wir darum aber nicht zu dulden. Denn es bleibt ja bei dem Kriterium, daß der Umgang mit ihr sie nicht zerstört und überflüssig macht, sondern daß Leben wahrgenommen, ihr Wort wörtlicher und unsere Wirklichkeit wirklicher wird. Ein südamerikanischer Landarbeiter sagte es so: „Wenn ein Licht fehlt, wird alles in Dunkelheit getaucht, und man weiß nicht mehr, wo man hintritt. Aber wenn eine starke Lichtquelle vorhanden ist, und jemand nur dort hineinblickt, wird es in den Augen dunkel, und man sieht nichts mehr. Das Licht ist nicht dazu da, daß man in es hineinblickt, sondern um den Raum zu beleuchten, in dem man sich aufhält. Das Evangelium ist ein starkes Licht. In seiner Helligkeit können wir das Leben betrachten: dann erst sehen wir es wirklich. Aber wenn wir bloß auf das

Evanglium starren, können wir geblendet werden!"[5] Bei Friedrich Hölderlin heißt es:

> der Vater aber liebt,
> Der über allen waltet,
> Am meisten, daß gepfleget werde
> Der feste Buchstab, und Bestehendes gut
> Gedeutet ... (Patmos).

Gepflegt heißt es – wie einer seinen Garten mit sorgender Liebe pflegt – und *gut* gedeutet, dem lebendig Guten förderlich.

3. Von der einzelnen Schrift zum Kanon

Gehen wir noch einmal zu Paulus zurück, zum Leben der Menschen in den urchristlichen Gemeinden. Aus diesem Leben heraus entstanden die Schriftstücke, die heute im Neuen Testament gesammelt sind. Jedes dieser Schriftstücke hatte seinen Ort und seine Stunde. Meist war es von der Not diktiert, manchmal auch von der Freude. (Die Not bringt überall mehr Schriftlichkeiten hervor als die Freude.) Wieviel gab es zu klären! Es war ja alles neu (vgl. 2 Kor 5,17). Es gab keine Regeln und keinen Papst, die einem sagten, wie man sich zu entscheiden habe: ob der Christ, auch wenn er zuvor nicht Jude war, mit den Juden zusammen nur geschächtetes Fleisch essen solle oder gerade nicht (Apg 15,29); inwieweit man als getaufter Heide die bisherigen gesellschaftlichen Beziehungen abzubrechen und etwa Einladungen zu heidnischen Festmählern ablehnen müsse (vgl. 1 Kor 8,1–13; 10,23 – 11,1); wie es sei, wenn bei Ehepaaren nur eins von beiden sich taufen läßt (1 Kor 7,12–16); und wie, wenn ein Sklave in die Gemeinde aufgenommen wird (vgl. 1 Kor 7,21–23; 1 Petr 2,18–25); wie man das Mahl des Herrn recht feiert (1 Kor 11,17–34). Alles war neu. Neue Lieder entstanden (so Phil 2,6–11; 1 Tim 3,16; Kol 1,15–20), neue Gebete (Lk 11,2–4; Mt 6,9–13; vgl. Apg 4,24–30); neue Lebensformen (so der Stand der Jungfrauen, 1 Kor 7,25 ff.), neue Erfahrungen, neue Einsichten – aber mit alldem auch neue Fragen, neue Nöte. Wie wertvoll war hier jedes überzeugend klärende Wort; wie sehr war man auf Austausch angewiesen. So wanderte, was sich bewährte, durch die Gemeinden im Römischen Reich – von Palästina und Syrien nach Ägypten und Kleinasien, von dort nach Griechenland und Italien und weiter nach Gallien und Spanien, von Ost nach West (die Bibel ist ein östliches Buch!).

Und waren diese Schriftstücke zuerst wie einzelne Blumen, so kamen sie nun zusammen wie in einem Strauß; waren es zuerst einzelne Stimmen, so wurden sie nun zum vielstimmigen Chor; und der Gottesdienst der Gemeinde, in denen diese Schriften vorgelesen wurden, wurde reicher. Keine dieser Schriften entstand als Beitrag zu dem von der Kirchenleitung geplanten Sammelwerk Neues Testament, so wenig wie unsere Musikinstrumente erfunden wurden als Teile eines Orchesters. Das Zusammenspiel von Geige und Klavier ist nicht anfänglich, aber es ist ein Ur-Sprung, die Entdeckung, das Aufklingen einer schönen Möglichkeit. Das Zusammenspiel tut keinem der beiden Instrumente Abbruch. So ist es auch mit den Stimmen, die im Neuen Testament zueinander finden. Indem sie zusammenklingen, offenbart jede deutlicher ihre Eigenart. Gewiß: wir entfernen uns in diesem Vorgang des wachsenden Chores der Stimmen von den Anfängen. Aber wir entfernen uns deswegen nicht von den Ursprüngen. Eher umgekehrt. Denn wir sind Zeuge, wie sich die Wahrheit entfaltet. Dadurch, daß wir die neutestamentlichen Schriften nebeneinander haben, können wir in jeder von ihnen mehr entdecken, als wenn wir sie nur für sich hören würden. Und natürlich ist es so, daß je länger die Gemeinde mit diesen Urkunden umgeht, sie desto mehr in ihnen und in ihrem Licht entdeckt.

Ein törichtes Mißverständnis wäre es darum, wenn man den angeblich ursprünglichen Sinn einer Stelle zum allein verbindlichen und allein erlaubten erklären wollte. Beispiel: Als Jesus die Kinder herzte und segnete, die man zu ihm brachte (Mk 10,13–16), da dachte er nicht daran, den Brauch der Kindertaufe einzuführen. Aber unsinnig wäre es, daraus zu schließen, dies Wort habe mit der Taufe kleiner Kinder nichts zu tun. Denn dieses Verhalten Jesu warf ja Licht auf die Kinder. Und die Gemeinde lernte im Laufe der Zeit, in diesem Lichte ihre Kinder neu zu sehen – wie Kinder wohl noch nie zuvor in der Geschichte der Menschheit gesehen worden waren. Wir dürfen uns also kein schlechtes Gewissen machen lassen, wenn wir uns in unserem Umgang mit dem Neuen Testament nicht beschränken lassen auf einen von der Wissenschaft behaupteten ursprünglichen Sinn. Denn wir können und sollen uns ja auch nicht künstlich zu den anfänglichen Hörern machen.

Blicken wir auf die Gesamtheit der Kirchen, so ist die Frage, welche Schriften in welcher Reihenfolge zum Kanon des Neuen Testaments gehören, nur in der römisch-katholischen Kirche durch den förmlichen Beschluß des Trienter Konzils im Jahre 1546 entschieden. In den anderen Kirchen gibt es keine solchen Beschlüsse, sondern nur eine Praxis, die sich durchgesetzt hat. Die Unterschiede zwischen den Kirchen sind – was das Neue Testament anlangt – klein, aber nicht ganz unwesentlich (vgl. aaO. S. 43–45). Ich erinnere daran, um auch an dieser Stelle ein Gefühl dafür zu wecken oder zu erhalten, daß dieser Strauß und Chor Neues Testament keine starre Größe, sondern ein Gewachsenes, Lebendiges ist. Diese Lebendigkeit möchte ich im Folgenden noch deutlicher vergegenwärtigen.

4. Von der Übersetzung zum Urtext

Wir lesen die Bibel in einer deutschen Übersetzung. Maria und Joseph, Jesus und Petrus sprachen einen Dialekt des Aramäischen, so daß ihre Sprache sie in Jerusalem sofort als Galiläer verriet (Mt 26,73). Gingen sie zum Gottesdienst in die Synagoge, so wurden dort die heiligen Schriften in hebräischer Sprache vorgelesen (vgl. Lk 4,16f.). Das weitverbreitete Aramäisch verhält sich zu Hebräisch etwa wie Englisch zu Althochdeutsch. Paulus sprach griechisch. Alle Schriften des Neuen Testaments sind von vornherein griechisch geschrieben. Dann wanderte das Evangelium weiter durch die Sprachen (wie es das bis zu dieser Stunde tut): um das Jahr 200 lagen die neutestamentlichen Schriften in lateinischen Übersetzungen vor. Aus dem Lateinischen wurden sie unseren germanischen Vorfahren übersetzt.

Jede Sprache ist ein lebendiger Leib, eine Persönlichkeit. So wie jede Begegnung zwischen Menschen in beiden bisher unberührte Saiten zum Klingen bringt, so ist es auch, wenn das Evangelium in eine neue Sprache eintritt: beide, die Sprache und das Evangelium, werden reicher und tiefer. Wie das Evangelium in jedem Menschen arbeitet, den es ergreift, so arbeitet es auch in jeder Sprache, in die es eingesetzt wird – wie die Hefe im Teig. Eine Sprache, in die die Bibel übersetzt wird, bleibt nicht, was sie ist.

Ein grundsätzlicher Irrtum steckt deshalb in den zeitgenössischen Versuchen, die Bibel in die Sprache von heute zu übersetzen. Einmal gibt es nicht *die* Sprache oder *das* heutige Deutsch. Und selbst wenn es sie gäbe, wäre es keine dem Glauben maßgebende Größe! Übersetzen ist immer ein Hin und Her, Her und Hin – wie bei einem Fährmann. Wer die Bibel ins Deutsche übersetzt, der setzt zugleich die Deutschen über in die Sprache der Bibel. Und das kann nicht heißen, daß der Übersetzer seinen Text kampflos den Verfallserscheinungen des heutigen Deutsch preisgibt, ihn ausliefert an die Sprache der Räuber und Macher, sondern es heißt, gerade in der Sprache dem Tode zu widerstehen, Leben zu bezeugen, *pro*-testari (lateinisch wörtlich = als Zeuge öffentlich eintreten für). Und dem Volk aufs Maul schauen – wie Luther vom Übersetzer forderte[6] – ist etwas anderes als den Leuten oder der Bildzeitung nach dem Munde reden. Ob wirklich die Bibel in eine Sprache eingesetzt wird, das erkenne ich daran, daß diese Sprache dadurch tiefer, reicher, lebendiger wird – so wie es der deutschen Sprache geschah vom althochdeutschen Heliand über Meister Ekkehart zu

Luther und von Luther über Paul Gerhardt, Andreas Gryphius, Friedrich Gottlieb Klopstock bis Martin Buber[7]. Eine Übersetzung dagegen, die sich so glatt herunterlesen läßt wie ein Zeitungsartikel, oder gar die Jesus-story als Comicstrip kann nur den Teufel freuen. Der Heilige Geist aber möchte, daß wir die Bibel nicht so schnell wie möglich, sondern ganz langsam und andächtig lesen. Dazu soll uns eine Übersetzung helfen!

Übersetzen ist kein technischer Vorgang, bei dem man mit Hilfe eines Wörterbuches sozusagen Gleichheitszeichen setzt zwischen die einzelnen Wörter der verschiedenen Sprachen. Dem Volk aufs Maul schauen, das heißt, das rechte Wort dort zu suchen und zu finden, wo die Menschen umgehen mit der Sache, heißt Leben wahrnehmen. Also: da sieh hin, wie die Handvoll Sauerteig in dem mächtigen Teigklumpen verschwindet und darin schafft und treibt, daß es ein Wunder ist und eine Freude. Und schon gewahrst du statt eines Gedankens, der angeblich im Text ausgesagt ist, einen fröhlichen Jesus neben der Frau am Backtrog – der Schaffensfreude seines Gottes gewiß (Mt 13,33).

Bei jedem Übersetzen geht auch etwas verloren, so wie ein Cembalo-Stück verliert, selbst wenn J. S. Bach persönlich es auf die Orgel überträgt. Darum kann keine Übersetzung den Urtext und die Beschäftigung mit ihm je überflüssig machen.

Zwei Beispiele mögen vergegenwärtigen, was beim Übersetzen auf dem Spiele steht. Zunächst Johannes 19,30 – Jesu letztes Wort am Kreuz. Schreibt man es wie in den alten Handschriften mit lauter großen Buchstaben, sieht es auch im Griechischen etwa so aus: TETELESTAI. Man glaubt, in den drei T die Kreuze von Golgota vor sich zu sehen (E. Fuchs). Ich stelle ohne Kommentar drei Übersetzungen nebeneinander: Jetzt ist alles vollendet (Die Gute Nachricht); alles ist Gut (Hölderlin); es ist vollbracht (Luther; ihm folgen hier fast alle neueren deutschen Übersetzungen).

Zweites Beispiel: Matthäus 5,1. In der „Einheitsübersetzung" sieht der Text so aus:

> **DIE BERGPREDIGT:**
> **DIE REDE VON DER WAHREN**
> **GERECHTIGKEIT: 5,1 – 7,29**
>
> **5** Als Jesus die vielen Menschen sah, stieg er auf einen Berg. Er setzte sich, und seine Jünger traten zu ihm. [2] Dann begann er zu reden und lehrte sie.
> 1–12 ‖ Lk 6,20–26 / 5,1 – 7,29: Lk 6,20–49.

Eine möglichst wörtliche Übersetzung könnte lauten:

> Erblickt (habend) aber die Scharen
> aufstieg er in den Berg
> und da gesetzt sich hatte er
> herzukamen ihm die Schüler sein
> und geöffnet (habend) den Mund sein
> lehrte er sie
> sprechend.

Martin Luthers Übersetzung letzter Hand von 1545 sieht in einem heutigen Neusatz (hg. von Hans Volz) so aus:

> ### V.
>
> DA [a]ER ABER DAS VOLCK SAHE / GIENG ER AUFF einen Berg / vnd satzte sich / vnd seine Jünger tratten zu jm / [2]vnd er that seinen Mund auff leret sie / vnd sprach.
>
> [a] Jn diesem Capitel redet Christus nicht von dem Ampt oder Regiment weltlicher Oberkeit / sondern leret seine Christen ein recht leben fur Gott im geist.

Zunächst: alle Bezifferungen in Kapitel und Verse, alle Zwischenüberschriften und Interpunktionszeichen, ja sogar die Zwischenräume zwischen den einzelnen Wörtern sind spätere Zutaten zum Urtext. Wir merken: diese Zutaten können hilfreich sein. Aber zugleich bevormunden sie den Leser, dem durch derlei bereits eine bestimmte Auffassung des Textes aufgedrängt wird. Ich finde Luthers Verfahren besser, den Text selbst von alldem so frei wie möglich zu lassen und die eigenen Bemerkungen an den Rand zu setzen.

Doch nun zur Übersetzung. Ich nenne die wichtigsten Unterschiede der Reihe nach:

– Das Ganze ist im Griechischen ein einziger Satz. E macht daraus drei.

– Luther löst das griechische Partizip „erblickt" mit DA auf, E mit ,als'. Was ist kräftiger? Worin besteht der Unterschied? Geht das erste mehr auf das, was man sieht, das zweite mehr auf Ursache und Zeitpunkt?

– „Die Scharen" bezieht E auf die große Zahl von Menschen. Luther übersetzt – scheinbar zu frei – mit der Einzahl ,Volk'. Warum? Sieht er das massenhafte Elend vor sich, von dem Mt eben (4, 23–25) gesprochen hatte, „das Volk, das im Dunkel saß, im Schattenreich des Todes" (4, 16 – E)?

– „Stieg" Jesus auf den Berg oder „ging er hinauf"? Möchte Mt Jesus als Bergsteiger vorstellen, die Mühe des Aufstiegs spüren lassen? Oder möchte er betonen, daß die folgenden Worte Jesu Worte vom Berge sind? Oder ist gemeint: Jesus ging in die Einsamkeit des Gebirges?

– Im Urtext steht eindeutig „den Berg". Warum übersetzen Luther und E „einen Berg"? Meint Mt einen bestimmten Berg, den man als Berg der Seligpreisungen damals und heute zeigen kann? Oder meint er gleichsam den Berg der Welt, von dem der Christus spricht zu aller Zeit und Welt (vgl. die Berge der Versuchung, Verklärung und des letzten Auftrags in Mt 4, 1–11; 17, 1–9; 28, 16–20)?

– Wer Luthers Anregung folgt und beim Atemzeichen hinter „Berg" innehält, der kann spüren, wie der Berg vor seinem inneren Auge aufwächst und groß wird, zum Schemel dessen, dem alle Macht gegeben ist im Himmel und auf Erden.

– Im Unterschied zum heutigen Prediger saß der jüdische Lehrer während seines Vortrags (Lk 4,20). Der Berg ist also der Lehrstuhl des Christus. Darum ist der Punkt, den E hinter „Berg" setzt, nicht nur ein Ausweis moderner Kurzatmigkeit, sondern doch wohl sinnwidrig.

– Jetzt kommt das Betrüblichste am Text der E: „Dann begann er zu reden" – wie im Hörsaal oder dem Nebenzimmer des „Löwen": der Herr Professor oder Abgeordnete beginnen zu reden. Ach, Gott! – Der Evangelist aber spricht vom Sohn GOTTES, der anhebt zum Wort, das bleibt bis ans Ende der Welt (Mt 24,35). Da kann man nicht langsam genug die Worte lesen; eins nach dem andern bedenken und sprechen:

> Und ER
> tat SEINEN Mund auf
> lehrte sie
> und sprach –.

Ahnen wir, was beim Übersetzen auf dem Spiele steht? Spüren wir, wie wenig Verlaß auf heutige Übersetzungen ist? – Es hat mit Konfessionalismus nichts zu tun, sondern ist eine Erfahrung, die sich wieder und wieder bestätigt, daß nach wie vor und trotz mancher möglichen und auch nötigen Änderung Martin Luthers Übersetzung die bei weitem vertrauenswürdigste aller deutschen Bibelübersetzungen ist. Wer es sich nicht zumuten mag, diese in der damaligen Schreibweise zu lesen, dem empfehle ich die Lektüre seiner Übersetzung des Neuen Testaments und der Psalmen in der schönen Ausgabe des Friedrich Wittig Verlags (Hamburg 1982). Wer den heute gängigen Übersetzungen einmal den Rücken zukehrt und hineinwandert in dieses Buch, dem wird bald zumute sein wie einem, der aus Asphalt und Atemlosigkeit unserer Städte wieder auf gewachsenen Boden tritt und tief Luft holt – Luft, die nach Erde riecht und Wasser, Lebensluft. Bis ins Leibliche hinein tut einem das Lesen in diesem Buch gut!

Luthers Text ist nicht tabu. Aber er bleibt das Maß für alles Bibelübersetzen. Wer auch nur einen einzigen Satz seiner Übersetzung wirklich erwogen hat, der wird sich lange besinnen, ehe er hier einzugreifen, zu ändern und zu verbessern wagt. Beim Vergleichen seines Textes mit dem anderer kann auch der, der des Griechischen nicht mächtig ist, ermessen, warum es bei Hölderlin hieß, der Vater liebe am meisten, daß gepfleget werde der feste Buchstab. Gepflegt wie ein Garten – nicht fixiert und konserviert. Denn das Evangelium will ja weiterarbeiten in der Sprache.

Zu dieser Weiterarbeit gehört auch das wissenschaftliche Bemühen um den Text. Dieses kann aus zwei Gründen Änderungen in der Übersetzung nahelegen:

– einmal kann eine andere *Auffassung* des Textes überzeugend begründet werden,
– zum andern kann sich *der Urtext selbst* ändern: Neue Funde alter Handschriften, neue Erkenntnisse bringen neue Entscheidungen über die älteste uns erreichbare Form des Textes, sowie seine sachgemäße Gliederung, Schreibung und Interpunktion. – Es gibt also keinen absolut festen Bibeltext. Das ist für manche erschreckend, aber doch nur für den, der Totes dem Lebendigen vorzieht. Diese Tatsache hat aber etwas Schönes für den, der sich an der Lebendigkeit des Lebendigen zu freuen vermag. Der Willkür ist kein Freibrief ausgestellt: der Wortlaut des Neuen Testaments ist im wesentlichen treu überliefert.

Aber was ist damit gemeint: der Wort-Laut des Neuen Testaments?

5. Vom gesprochenen Wort zur Schrift

Schrift ist Gift, sagt das Sprichwort und hat recht, wenn ich an jene beiden Pfarrer denke, die Wand an Wand in einem Doppelhaus wohnend über Jahre hin einen Schriftwechsel miteinander führten, der einen Aktenordner füllte. Aber selbst im erfreulichen Fall: wieviel an Lebendigkeit geht verloren vom mündlichen Wort zum beschriebenen Papier, und dann noch einmal von der Hand-Schrift zum maschinellen Druck! Jede Vervielfältigung vervielfältigt auch die Möglichkeiten des Mißbrauchs! Hat nicht jedes Wort – auch wenn es wiederholt wird – seinen Ort und seine Stunde? Und wie dürfte ich das Wort des Evangeliums ablösen vom lebendigen Zeugen? Kann es anders ein Wort des Glaubens und der Liebe bleiben als so, daß es gesprochen wird von Mensch zu Mensch (und nicht via Schriftenmission verbreitet)? „Denn das ist je recht eigentlich das Evangelium, nämlich ein gut Geschrei, ein gut Gerücht, nicht eigentlich auf Papier geschrieben, sondern mit lebendiger Stimme in die Welt gerufen und bekannt" (Martin Luther, 1522). „Oh, Sie müssen mir das Evangelium predigen! Das Gelese ist nichts. Das muß man hören" (Joseph Wittig, 1925[8]).

Die lebendige Stimme sucht unser Herz. So ist dies mündliche Evangelium immer – auch als öffentlicher Vorgang – ein intimes Ereignis. Aber wie wenig weiß gerade die wissenschaftliche Literatur zum Neuen Testament um diese *dem Evangelium wesentliche Intimität.* Jesus und Nikodemus im nächtlichen Gespräch, Jesus und die Frau in der mittäglichen Pansstunde allein am Brunnen; Maria und Johannes unter dem Kreuz Jesu – lauter intime, innige Texte (Joh 3,1 ff.; 4,1 ff.; 19,25–27). Aber nicht nur das Johannes-Evangelium ist so zart. Auch das Matthäusevangelium wird nur der recht hören, der ihm das Leise läßt, vom ersten Satz „Abraham zeugte Isaak" (was für eine Geschichte! Gen 12 – 25) bis zum letzten: Und siehe, ich bin bei euch alle Tage bis an der Welt Ende. Immer haben wir auch darauf zu achten, inwiefern ein neutestamentlicher Text ein intimes Wort ist.

Es gehört zu Wesen und Geheimnis Jesu, daß er keine geschriebene Zeile hinterließ. Er vertraute sich ganz dem mündlichen Wort an. Hatte er keine Angst, sein Wort würde verfälscht oder vergessen werden, vergehen und verwehen? – Als Gottes bäuerlicher Sohn geht er und streut im Gehen den Samen. Vieles wird verderben, und was nicht verdirbt, muß unscheinbar werden, muß sterben – den göttlichen Sämann beirrt das so wenig, wie es je einen Bauern beirrt hat (vgl. Mt 13,3 ff.). Was wir im Neuen Testament schauen, sind nicht die Saatkörner, sondern die Frucht, aufgegangen in Menschenherzen. Die Frucht freilich verdürbe wie das Manna, wollte sie einer für sich konservieren (Ex 16,14–21). Darum werden aus Jüngern Apostel, aus Glaubenden Zeugen. Der Vorgang bleibt derselbe, der Ur-Vorgang von Lieben und Sterben, Sterben und Lieben.

Wir müßten tiefer spüren, wie fremd diesem Leben alles Schriftliche ist. Die Existenz eines Buches Neues Testament muß uns zum befremdlichen Ärgernis, zur Anfechtung geworden sein, bevor wir behaupten dürften, etwas davon zu verstehen.

Und wir sehen: die Apostel betreiben keine Schriften- und Plakatmission. Unter Mühen und Gefahren kommen sie selber (2 Kor 11,23–28). Manche als wandernde Bettelmönche (Mt 10,7–15). Immer kommt das Wort in Gestalt eines brüderlichen Zeugen, immer sind zumindest zwei beieinander (Mt 18,20), immer ist die Begegnung mit dem Wort ein Ereignis von Kirche, nirgends versteckt sich einer hinter Papier.

Im Blick auf die neutestamentlichen Schriften müssen wir also fast alle uns vertrauten Vorstellungen vom Zustandekommen von Schriften beiseite lassen. In der Urchristenheit greift niemand zur Feder, um Geld zu verdienen, um sich gedruckt zu sehen und einen Namen zu machen, um die Welt mit seinen Gedanken zu bereichern oder was immer sonst für Gründe in Frage kommen mögen. Der Schritt vom mündlichen Wort zur Schrift kann nur getan worden sein aus Not. So ging es auch Luther. Als er aus Wittenberg heraus in die Dörfer ging und den geistlichen Zustand der Gemeinde dort sah, da hat ihn „gezwungen und gedrungen die klägliche, elende Not", den Kleinen Katechismus zu schreiben[9]. Ähnlich müssen wir bei jeder neutestamentlichen Schrift nach der Not fragen, die sie not-wendig machte. Bei Paulus ist sie jeweils leicht zu erkennen: Er sitzt in Haft, kann den entlaufenen Onesimus nicht selbst zu seinem Herrn zurückbegleiten und dort ein gutes Wort für ihn einlegen – er muß es auf einen Brief ankommen lassen (Phlm). Die Christen in Korinth schicken ihm eine ganze Liste mit drängenden Fragen; soll er sie etwa nicht beantworten (1 Kor 7 – 15)? Daß wir von Paulus überhaupt ein ausführlicheres Wort haben über Auferstehung und Abendmahl, ist, menschlich gesprochen, Zufall: Hätte es in Korinth damit keine Probleme gegeben, Paulus hätte nicht darüber geschrieben! Selbst seinen Brief nach Rom hat er geschrieben um des mündlichen Wortes willen (Röm 1,9–15; 15,22–29). So sind erkennbar alle seine Briefe notgedrungener Ersatz fürs mündliche Wort und allesamt dazu bestimmt, in der Versammlung der Christen, an die sie gerichtet sind, laut vorgelesen zu werden (vgl. Kol 4,16; vor allem aber die liturgisch-feierlichen Anfänge und Schlüsse seiner Briefe). So wie sie dem Gespräch und Gebet des Apostels und seiner Mitarbeiter entspringen, so sind sie von Hause aus Teil der lebendigen Versammlung der Gemeinde, die nachher das eucharistische Mahl feiern wird. Von diesem Mahl kommen sie her – und auf dieses Mahl gehen sie zu! So hat in unserem Jahrhundert Dietrich Bonhoeffer aus der Gefängniszelle dem Freund die Traupredigt geschrieben, die er ihm nicht halten konnte[10].

Weitere Nöte, die zum Schreiben nötigten: Weil er verbannt ist, muß der Seher Johannes Briefe schreiben (Offb 2 – 3). Was ist mit den Getauften, die vor der Wiederkunft Christi sterben (1 Thess 4,13 ff.)? In den galatischen Gemeinden predigen Judenchristen den von Paulus bekehrten Heiden die Beschneidung als heilsnotwendig (Gal 6,12); die Christin Phöbe braucht ein Empfehlungsschreiben des Paulus, das sie (wahrscheinlich) der Gemeinde in Ephesus gegenüber beglaubigt (Röm 16); darf man Einsichten des Glaubens verschweigen, auch wenn ihnen die Gemeinde nicht gewachsen zu sein scheint (Hebr 5,11 ff.)? Schwärmerischer Umgang mit dem 1. Thessalonicherbrief bringt Verwirrung in die Gemeinde und fordert ein klärendes Wort (2 Thess 2,1 ff.). Die Gemeinden in Kolossä und Umgebung sind von Irrlehre bedroht (Kol 2,1 ff.). Der Anlaß des Epheserbriefes ist wohl,

„daß den Heidenchristen das Bewußtsein vom Ursprung der Kirche im Judentum – nicht in historischem, sondern heilsgeschichtlichen Sinn – und damit von der zeitlichen und räumlichen Universalität der Kirche abhanden gekommen war oder doch zu entschwinden drohte" (Vielhauer)[11]. Der 1. Johannesbrief ist hervorgerufen dadurch, daß aus der Gemeinde selbst Irrlehrer, ja Antichristen und Falschpropheten hervorgegangen sind (2,18 ff.; 4,1 ff.). Im 2. Johannesbrief dringen die Irrlehrer von außen in die Gemeinde ein (V.7 ff.); im 3. Johannesbrief stellt sich heraus, daß der Verfasser seinerseits sich gegen den Vorwurf der Irrlehre verteidigen muß: seine Genossen werden von Diotrephes exkommuniziert (V.9 ff.). Der 1. Petrusbrief wurde durch die Verfolgung der Gemeinde nötig (4,12 ff.), die Pastoralbriefe (1. und 2. Tim; Tit) durch das Auftreten von Irrlehrern, ebenso der Judas- und der 2. Petrusbrief.

Wie aber kam es zum schriftlichen Evangelium? Wir haben keinen zureichenden urchristlichen Bericht davon. Aber an Folgendes wird man dabei wohl zu denken haben: Was sich schon lange angebahnt hatte, war eingetreten. Religiös motivierte Guerillakämpfer, die Zeloten (Eiferer; vgl. Lk 6,15), hatten die Juden Palästinas in den aussichtslosen, bewaffneten Kampf gegen die Weltmacht Rom gerissen. Je erfolgreicher dieser Kampf am Anfang verlief, je heldenhafter der Widerstand am Ende, desto furchtbarer mußte die exemplarische Bestrafung des aufsässigen Satellitenvolks durch die Vormacht Rom werden. An Tausenden von Kreuzen endeten die überlebenden Aufständler. Jerusalem samt dem Tempel wurden zerstört. Juden und Judenchristen hatten ihr kultisches Zentrum verloren. (Wer die Zeit aufbringen kann, der lese die großartige Darstellung des grausigen Geschehens durch den Zeitgenossen Flavius Josephus oder den darauf beruhenden Roman Lion Feuchtwangers.) – Die Christen Palästinas hatten nicht zu den Waffen gegriffen. Damit waren sie für die herrschenden Zeloten unerträglich geworden. Teils wanderten sie aus Palästina aus, teils werden sie von den Zeloten umgebracht worden sein. Führende Männer der

Gemeinde waren vorher schon getötet worden: Stephanus und Jakobus in Jerusalem (Apg 7 und 12, 2), Petrus und Paulus in Rom. Die Generation der Augen- und Ohrenzeugen Jesu und der ersten Jünger starb. Da mochte es weit und breit nur noch wenige geben, die den Schatz des Evangeliums in seiner Fülle bewahrten, und vielleicht weit und breit nur einen einzigen, der fähig war, diesen Schatz dem Papyrus anzuvertrauen. Auch ihn konnte der Tod jeden Tag ereilen. In dieser Lage mögen sie in ihn gedrungen sein, diesen Schatz des Evangeliums schriftlich zu bergen – nicht, um ihn auf den Markt zu bringen, sondern zu treuen Händen der Gemeinde. Und wenn dann in der Nähe eine neue Gruppe von Christen sich bildete, wenn einer sich darin bewährte als Zeuge und Leiter der Gemeinde, dann mochte man wohl eine Abschrift der Rolle mit dem Evangelium anfertigen und jenem in einer heiligen Stunde anvertrauen als Hilfe und Richtschnur für ihn und seine Gemeinde. Zugegeben: es kann sich auch anders abgespielt haben. Deutlich aber ist: die Evangelien sind für Eingeweihte gedacht, nicht für den Buchmarkt; für die Leitung und den Gottesdienst der Gemeinde, nicht als private Erbauungsliteratur; vielleicht für die Hand des Lehrers, der Taufbewerber in die Geheimnisse des Reiches Gottes (vgl. Mk 4, 11) einzuführen hatte, aber nicht zur Verteilung am christlichen Schriftentisch. Der Besitz einer Evangelienrolle war verbunden mit größerer Verantwortung in der Gemeinde und für sie. Je deutlicher diese Verantwortung nach außen sichtbar wurde, desto näher stand ihrem Träger das mögliche Martyrium. So diente auch die Evangelienschrift dem mündlichen Wort; und Wort und lebendiges Zeugnis blieben eine Einheit – im Unterschied zu heute, wo man mit gutgemeintem Eifer möglichst jedermann, ob er will oder nicht, eine Bibel in die Hand drückt, doch ohne den brüderlichen Philippus, der ihm erklären kann, was er liest (vgl. Apg 8, 26 ff.).

Die Aufgabe, vor der die Evangelisten sich sahen, können wir uns nicht groß genug vorstellen. Es war ja nicht damit getan, einiges Richtige von und über Jesus festzuhalten.

Sondern es galt, das in der Gemeinde Überlieferte so niederzuschreiben, daß daraus das Bild des Sohnes Gottes in voller Gnade und Wahrheit bleibend aufleuchten konnte. Wer ahnen möchte, was einem Evangelisten oder Apostel da zugemutet war, der versenke sich in Rembrandts Bilder von Petrus (Zürich), Paulus (Stuttgart) oder Matthäus (Paris, Louvre). Diese Bilder erschließen uns die Dimension, um die es geht, wenn Sein Wort der Schrift anvertraut werden muß.

Die Fortsetzung dieser Geschichte der Schriftwerdung läßt sich kurz erzählen: Die Schätze, die einzelne Gemeinden in Gestalt von Briefen und Evangelien besaßen, wurden ausgetauscht. Statt der umständlich zu handhabenden Schriftrollen entstanden den unsrigen ähnliche Bücher. In ihnen wurden die vier Evangelien oder die paulinischen Briefe und andere Gruppen von Schriften gesammelt. Da es nicht um den Buchstaben, sondern um den HERRN im Leben der Gemeinde ging, so war es anfänglich nicht verboten, den Text da und dort zu ergänzen, zu verdeutlichen, Bezüge zur Gegenwart herzustellen. Die Vielfalt im Text der alten Handschriften gibt uns daher einen willkommenen Einblick in das Leben des frühen Christentums. So war die Lage nach dem Tode des Paulus eine andere als die, in der er und für die er seinerzeit seine Briefe geschrieben hatte. Man las sie jetzt unter neuen Fragestellungen. So ist es gut möglich, daß manche seiner Briefe an einzelne Gemeinden jetzt zusammengefaßt wurden, z. B. drei Briefe nach Philippi in einen, fünf nach Korinth in zwei.

Doch je mehr das Christentum sich entfaltete, je reicher sein Leben, je zahlreicher die aus ihm erwachsenden Schriften wurden, desto deutlicher wurde auch, daß nicht alles, was den Namen Christi führte, Seinem Geist entsprach. Lk 1,1–4 ist doch wohl so zu verstehen, daß sich der Evangelist einer wachsenden Zahl von Evangelien gegenübersah, die er nicht anerkennen konnte und die die Gemeinden in Unsicherheit brachten über das wahre Bild Christi. Scheidungen wurden unvermeidlich zwischen Juden und Christen, aber auch zwischen Christen und Christen. In dieser Situation entstand das, was wir heute als Neues Testament verstehen: Im Ringen um die Wahrheit erwiesen bestimmte Schriften ihre Autorität.

Das sind im wesentlichen die vier Evangelien und die echten Paulusbriefe (Röm, 1 und 2 Kor, Gal, Phil, 1 Thess, Phlm), dazu die Apg, die übrigen Paulus zugeschriebenen Briefe samt Jak und 1 Petr. Die Autorität der sonstigen Schriften – also der restlichen Briefe und der Offb – trat zunächst weniger deutlich hervor und blieb zum Teil noch lange umstritten. Neben den im Neuen Testament gesammelten Schriften sind uns weitere Texte aus der Zeit des Urchristentums erhalten, von denen insbesondere die Briefe des Ignatius von Antiochien und der Bericht über das Martyrium des Polykarp, Bischofs von Smyrna, höchst lesenswert sind[12].

Nun ist dies Buch uns anvertraut. Wie gehen wir damit um?

II.
Vom Brot des Wortes – Grundlinien einer sakramentalen Interpretation

Der Kranke hörte nicht nur das Wort Gottes,
er verkostete, er aß es. Und ich hatte das be-
stimmte Gefühl, daß man einem solchen
Manne die Bibel nicht erklären, sondern nur
darreichen müßte.
(Joseph Wittig)[13]

Gute Exegese ist Exegese im Lichte des Herrn-
mahls. (Ernst Fuchs)[14]

Dem Mahle gesellt sich gern das gute Wort. Wie oft zeigen uns die Evangelien Jesus beim Gastmahl! Von vielen Stellen erinnere ich nur an die folgenden: Jesus als Gastgeber im eigenen Haus (Mk 2,15) und als Gastgeber seiner Hörer (Mk 8,1–9); als Gast des Pharisäers (Lk 7,36), des Oberpharisäers und des Oberzöllners (Lk 14,1–24; 19,1–10); bei Maria und Marta (Lk 10,38–42); beim letzten Mahl (Joh 13–17). Beim Mahle wird Jesus den Seinen gegenwärtig nach seinem Tode: in Emmaus, in Jerusalem und am See (Lk 24,13–49; Joh 21,1–14). Darum: wenn ich nach dem rechten Umgang mit dem Wort der Schrift frage, so steht mir das Mahl vor Augen. Das Mahl ist der Ort, wo das Neue Testament in seinem Element ist. Das Mahl, so wie Friedrich Hölderlin es vergegenwärtigt auf den Lieblingsjünger Johannes blickend:

> und es sahe der achtsame Mann
> Das Angesicht des Gottes genau,
> Da, beim Geheimnisse des Weinstocks, sie
> Zusammensaßen, zu der Stunde des Gastmahls,
> Und in der großen Seele, ruhigahnend, den Tod
> Aussprach der Herr und die letzte Liebe
> (Patmos).

Mit den folgenden Betrachtungen möchte ich dazu helfen, daß wir des sakramentalen Wesens des Wortes wieder inne werden.

1. Ein Wort von Brüdern für Brüder – die exegetische Grundfigur

Anstatt die Überschrift zu erläutern, möchte ich den Anfang der Bergpredigt Jesu (Mt 5, 1–12) betrachten und so zeigen, worum es geht. Im anschließenden Rückblick läßt sich dann mit wenig Worten sagen, was mit der exegetischen Grundfigur gemeint ist. Die Betrachtung gilt einem Lichtereignis:

> Da Er aber das Volk sahe
> ging er auf den Berg
> und setzte sich
> und Seine Jünger traten zu Ihm
> und Er tat Seinen Mund auf
> lehrte sie
> und sprach

Selig sind / die da arm sind durch den GEIST
  denn der Himmel Reich ist ihr

Selig sind / die da Leide tragen
  denn sie sollen getröstet werden

Selig sind die Sanften
  denn sie werden den Boden ererben

Selig sind / die da hungert und dürstet nach der Gerechtigkeit
  denn sie sollen gesättigt werden

Selig sind die Barmherzigen
  denn sie werden Barmherzigkeit erfahren

Selig sind / die reinen Herzens sind
  denn sie werden GOTT schauen

Selig sind / die Frieden fertigen
  denn Söhne Gottes werden sie gerufen werden

Selig sind / die um Gerechtigkeit willen verfolgt werden
  denn der Himmel Reich ist ihr

Selig seid Ihr
    wenn euch die Menschen um Meinetwillen schmähen
    und verfolgen
    und reden allerlei Übles wider euch
    so sie daran lügen

Seid fröhlich / ja jauchzet
    es wird euch in den Himmeln wohl belohnet werden

    Denn also haben sie verfolgt die Propheten
    die vor euch gewesen sind

(N – in Anlehnung an die Übersetzung Martin Luthers).

Meist läuft heute die Auslegung dieser Worte darauf hinaus,
daß einer sich selbst irgendwo unterzubringen sucht bei den
von Jesus Seliggepriesenen. Oft macht man dabei aus den
Seligpreisungen Aufforderungen nach dem Muster: Bemühe
dich um ein reines Herz, dann wirst du in den Himmel kommen! Als ob es sich von selbst verstehe, tun wir so, als stünden *wir* mit den vier Jüngern Jesu auf dem Berg (Mt
4,18–22), und als rede Jesus uns an. Aber: die Sätze sind
keine Gebote. Und: wenn ich, Dieter Nestle, dastehen lasse,
was da steht, dann gehöre ich nicht in die Reihe derer, die
hier selig gepriesen werden. Ich habe nicht um Jesu willen
kraft des Heiligen Geistes alles verlassen wie Petrus und andere Jünger (Mt 19,27); ich bin nicht um Seinetwillen zum
Armen, zum Bettler geworden (Mt 10,9–14) oder zum
Mönch (Mt 19,10). Ich bin keiner, der Leid trägt, sondern
ich versuche, der Verzweiflung junger Menschen die Freude
entgegenzusetzen. Ich bin – wennschon ohne Auto und auf
Schonung der Kreatur bedacht – nicht von fern der sanfte,
gewaltlose Adam, der die Erde bebaut und bewahrt. Ich bin
nicht am Verhungern und Verdursten – weder in dem Sinn,
daß mir die elementarsten Lebensmöglichkeiten vorenthalten werden, noch in dem, daß ich mich gleichsam verzehre
im Streben danach, selbst ein Gerechter zu werden oder anderen Gerechtigkeit zu schaffen. Meine Barmherzigkeit er-
reicht schnell ihre Grenze. Ich bin nicht reinen Herzens.

Meine Konfliktscheu hat nichts zu tun mit dem, was der HERR hier Frieden stiften nennt. Ich werde nicht verfolgt – weder weil ich das Rechte zu tun versuche, noch weil ich Christ bin. Kurz: auf mich beziehen kann ich den Text nur um den schrecklichen Preis, daß ich ihn vergewaltige; daß ich nicht dastehen lasse, was da steht.

Geht mich also der Text nichts an? Übergeht Jesus mich mit Schweigen? – Schweigen! – Still in dämmriger Luft ertönen geläutete Glocken (Hölderlin, Brot und Wein): Aus solch erfülltem Schweigen heraus müßten wir die Worte der Schrift hören können. Wer das Schweigen nicht wahrnimmt, das sie umgibt, der hat ihren vollen Klang noch nicht vernommen. – Nun, da wir auf das Schweigen achten, werden wir es gewahr: Mit Schweigen werden übergangen, die den Leidtragenden das Leid gebracht, den Ohnmächtigen den fruchtbaren Boden vorenthalten, den Menschenbrüdern die Gerechtigkeit versagt haben. Mit Schweigen übergangen sind, die den Frieden bedrohen, die Gerechten verfolgen, die Glaubenden schmähen, die Propheten umbringen. Jetzt fällt es mir auf: In diesen Worten recken sich keine geballten Fäuste gen Himmel, es blitzen keine Messer (vgl. Mt 26,51 f.). – Was für ein Schweigen ist das? Die Worte sind eine reine, ruhige Flamme. Ich gehöre nicht zu den Seliggepriesenen. Aber ich darf die Flamme sehen. Und betroffen bedenke ich: bin nicht auch ich – wenn nicht direkt, so doch indirekt – beteiligt an der Verfolgung Verfolgter heute? Ich sehe ja, wie auch unsere Regierung nicht alles für die Verfolgten in der Welt tut, was sie tun könnte, weil ihr die Rücksicht die Hände bindet; die Rücksicht auf jenen Wohlstand, auf jene Arbeitsplätze, durch deren Erhalt diese Regierung die ihr nötigen Wahlstimmen gewonnen hat. Im Lichte der ruhigen Flamme fange ich an zu fragen: Wo und wann bin ich auf Barmherzigkeit angewiesen, habe sie an mir erfahren? Wem verdanke ich den Frieden, in dem ich lebe? Und so fort. Still blicke ich in die Flamme. Und nun sehe ich: so, wie sie brennt, verzehrt sie Haß und Gewalt, Schmähung und Verfolgung. Vor meinen Augen geschieht das Wunder:

Die Finsternis wird zur Nahrung dem Licht. (Auf dieses Wunder möchte ich zeigen mit dem Begriff sakramental.)

Lasse ich die Flamme brennen, lasse ich also stehen, was da steht, und gelten, daß ich zu denen gehöre, die Jesus hier mit Schweigen übergeht, dann heißt das für mein Umgehen mit dem Text: Sieh, du darfst zuhören; so sei still und höre! Du darfst schauen; so sieh still hin! Ich muß an die Stimme denken, die Mose rief aus dem brennenden Dornbusch:

> Tritt nicht herzu
> zieh deine Schuhe von deinen Füßen
> denn der Ort
> darauf du stehst
> ist heiliges Land (Ex 3,5).

Wie dort, so hier: ein Feuer, das nicht verbrennt; ein Licht, das nicht blendet. Licht ist Licht; einfältig leuchtet es – allen, die seinem Schein sich nicht entziehen (Mt 5,15.45). Licht ist Licht – es verschleiert nicht, es erhellt. In seinem Schein sind alle, was sie sind: die Armen sind arm, die Trauernden traurig; die Hungernden hungern, und die Verfolgten werden verfolgt und getötet. Herzen gibt's wie Stein, darum bedarf es der Barmherzigen; Streit gibt es und Krieg, und darum braucht es die, die den Frieden fertigen. Weil Herzen beschmutzt sind, wird Ausschau gehalten nach solchen, die reinen Herzens sind.

So fällt das Licht dieser Worte auf diejenigen, deren Leben nach üblichem Urteil im Schatten liegt: Das Tal der Finsternis (Mt 4,16) wird zur Bahn des Lichts. Dieses Licht ist aufgegangen als Licht eines neuen Tages, einer neuen Zeit: die Zeit der Nähe Seines Reiches (Mt 4,17). Seine Nähe ist die Stunde derer, die da selig gepriesen werden. So wie es die Stunde des Kindes ist, wenn es mit dem, womit es nicht zurecht kommt, zur Mutter geht, und die Mutter trocknet die Tränen, verwandelt durch ein Wort den Anlaß zum Weinen in einen Grund zum Lachen. Und weil dies die Stunde des Kindes ist, ist es eben darin auch die Stunde der Mutter. So ist die Stunde der Seliggepriesenen Gottes Stunde: ER tröstet, ER wischt die Tränen ab (Offb 7,17; 21,4); ER vertraut die Erde einem neuen Adam an, dem sich alles Lebendige vertrauensvoll entgegenstrecken kann (vgl. Röm 8,19). Gott ruft seine Söhne, und nicht verstecken sie sich vor ihm wie Adam und Eva (Gen 3,8), sondern freudig kommen sie zu auf den freudigen Vater (vgl. Jes 35,10; Mk 10,14; Offb 21,7). – Versuchen Sie, hier innezuhalten und mit Ihrem inneren Auge zu schauen: wie ist das, wenn ER tröstet; wenn Menschen von IHM das Land sich anvertrauen lassen; wenn ER den Hunger nach Gerechtigkeit stillt? Was ist das: IHN schauen – sich nie satt sehen können am Leuchten Seines Angesichts (vgl. Num 6,24)?

Jetzt stößt mich vielleicht einer an: Wachen Sie auf, Sie träumen! – Ich sehe mich um: der alte Lärm, der alte Gestank, das alte Elend, meine alte Begrenztheit. Und doch: ich habe die unverwechselbare Stimme gehört. Und so bitte ich darum, daß diese Stimme nie verklinge, und mein Ohr für sie nie taub werden möge. Ich sehe mich um: das alte Imponiergehabe, all der falsche Glanz. Doch ich weiß: ich habe in die Flamme geschaut. Und ich bitte: laß dieses Licht nie verlöschen, und laß meine Augen nie blind werden für sein Leuchten!

In diesem Lichte sehe ich ein großes Volk: Ich sehe, die arm geworden sind und alles verlassen haben – die Fischer am See; die irischen und schottischen Mönche, die unseren Vorfahren den Christus bezeugten; Mutter Teresa. Ich sehe das Gesicht von Elisabeth Kübler-Ross, die viele trösten konnte, weil sie blieb, wo auch ich oft fliehen will: bei den Sterbenden, sterbenden Kindern. Ich sehe Menschen vor mir, die sich für mich mit dem Wort vom reinen Herzen verbinden: Friedrich Hölderlin; Matthias Claudius, wie er unterm nächtlichen Himmel sein Abendlied empfängt und um das Höchste bittet: die Einfalt (vgl. Mt 5,48; EKG 368). Ich sehe die bekannten Friedensstifter: Mahatma Gandhi, Alan Paton, Martin Luther King, Dag Hammarskjöld, Lew Kopelew und viele andere; und die unbekannten: Menschen, die, bevor sie zu anderen und über andere reden, für sie beten

(Mt 6,9–13); die die Last, die der andere ist, tragen (Gal 6,2). Ich sehe die Verfolgten: Janus Korczak, wie er mit den ihm anvertrauten Kindern ins KZ Treblinka transportiert wird; das unübersehbare Volk derer, die heute um Jesu willen verfolgt werden – in allen Erdteilen. Ich denke an Frauen und Männer unseres Volkes, die unter Hitler wegen ihres Christseins hingerichtet wurden – und daran, wie wenig unsere Gemeinden ihr Andenken lebendig halten und wie arm diese Gemeinden auch deswegen sind[15].

Gehe ich in Gedanken diesem ganzen Zug entlang zurück, so komme ich zu jenen Christengrüppchen, für die Matthäus – vielleicht um das Jahr 90, vielleicht in Syrien – das Evangelium niederschrieb. Matthäus weiß: die Wortführer dieser Gruppen werden vor das jüdische Synagogengericht geführt, verurteilt und ausgepeitscht oder sie werden bei den heidnisch-römischen Behörden denunziert und von diesen verurteilt und hingerichtet (Mt 10,18), so wie es zuvor dem Apostel Paulus widerfuhr (2 Kor 11,24). Die Situation der Verfolgung ist im ganzen Buch gegenwärtig. Der Evangelist aber sagt: Im Namen Jesu, laßt euch nicht irremachen, wenn man euch verfolgt (Mt 5,11), und die Falle zuschnappt (Mt 10,29); hütet euer Herz vor dem Haß und betet für eure Verfolger (5,44); rechnet nüchtern damit, daß Menschen, denen ihr euer Heiliges zeigen wollt, wie Säue reagieren (7,6), ja wie Wölfe (10,16), und daß in der Stunde der Verfolgung viele abfallen (13,21). In alldem aber bleibt in der Einfalt (5,45.48) der Liebe (7,12; 22,34–40). – Wie alle andern, die im Neuen Testament zu Wort kommen, schreibt auch Matthäus angesichts möglichen Martyriums, des der Brüder und des eigenen (24,9). Und nun, nachdem er seinem Buch auch das Letzte anvertraut hat, daß ER dabei ist, wo und wann immer es sei (28,20), nun mögen sie immerhin kommen und ihn holen – sorget nicht (10,19 f.)! – Indem ich dies alles wahrzunehmen beginne, erscheint mir meine eigne Welt in einem andern Licht als zuvor. Sie wird mir fremder.

Zum Lichtereignis dieses Textes gehört auch dies: Vorhin war mir die ihr Kind tröstende Mutter zum Gleichnis des

Reiches Gottes geworden. Das ist die wunderbare Kraft des *Gleichnisses:* Es läßt im Alltag der Nähe Gottes inne werden. Wo immer ich nun sehe, wie ein Kind durch das Wort der Mutter vom trostlosen Weinen zum befreiten Lachen kommt, da ist Sein Reich mir nah. Das eine Gleichnis sammelt die vielen Erfahrungen um sich, in denen, was vorher Anlaß der Angst war, nachher erscheint als Grund der Freude. Jeder Kandidat kann nach glücklich bestandenem Examen ein Lied davon singen. Ein Weib, wenn sie gebiert, so hat sie Traurigkeit, denn ihre Stunde ist gekommen. Wenn sie aber das Kind geboren hat, denkt sie nicht mehr an die Angst um der Freude willen, daß ein Mensch zur Welt geboren ist (Joh 16,21). – So öffnen auch die Seligpreisungen unsre Augen für Seine Nähe und für Seine Art. Ich lerne zu achten auf die Macht der Gewaltlosigkeit, und meine Freude ist groß, wenn ich erlebe, wie das Lächeln eines Kindes ein hartes Herz gewinnt. Ich lerne, den verborgenen Quellen des Friedens in einer Familie oder Gruppe nachzuspüren. Dabei tauchen in meiner Erinnerung zuerst alte Frauen auf; unter anderen vier unverheiratete Schwestern, deren Laden, Haus und Garten auf dem Dorfe zum Sonntags- und Ferienparadies immer neuer Kindergenerationen wurde. Selig seid ihr, Ihr Friedfertigen! (Da es Frauen sind, an die ich hier denken muß, komme ich mit den „Söhnen" im Text von Mt 5,9 in Schwierigkeit und sehe, wie wohl Luther daran tat, freiweg zu übersetzen „denn sie werden Gottes Kinder heißen").

Soweit der Anfang einer Betrachtung von Mt 5,1–12. Wenn es wahr ist, daß der Text ein Licht ist, dann kommt keiner je ans Ende mit dem Aufzählen all dessen, was er in diesem Lichte sieht. Und sollte jemand sich beim Lesen erinnert gefühlt haben an Mose, wie er vom Berge hineinblicken durfte in das verheißene, schöne Land (Dtn 34), so hat er das Vorstehende recht verstanden.

Blicken wir zurück! Ich habe darauf verzichtet, die Worte der Schrift unmittelbar auf mich zu beziehen. Ich versuchte weder, ihnen eine Ethik der Bergpredigt zu entnehmen, noch sie auf die heutige Situation zu übertragen. Vielmehr habe ich versucht, die Worte leuchten zu lassen – leuchten zu lassen, nicht leuchten zu machen. – Ich kann auch sagen: als heutiger Leser verhalte ich mich zum Text wie ein *Zeuge*. Wie ich Zeuge eines Unfalls werden kann oder einer guten Tat; wie ich als nichtkommunizierender Teilnehmer einer Eucharistiefeier Zeuge davon bin, wie anderen vorn am Altar das Heilige gereicht wird – so bin ich als Leser des Neuen Testaments Zeuge eines Wortes von Brüdern für Brüder.

Ein Vorgang, dessen Zeuge ich bin, kann mich unberührt lassen (vgl. Lk 10,31 f.). Er kann mich aber auch nachdenklich machen, erschüttern, zu Taten spornen, ins Beten drängen. Begegne ich zum Beispiel einem Betrunkenen, so kann mich das zum Abstinenzler machen oder mich als Vater und Lehrer betroffen fragen lassen : Ist das, was ich im Blick auf Kinder sage und tue, leuchtend genug, damit jene Leere erst gar nicht entsteht, die mit Alkohol gefüllt werden soll? – Es ist also eine ernste Frage: Kann überhaupt ein anderer mir sagen oder sagen wollen, welcher Art meine Betroffenheit angesichts eines Vorganges – und also auch angesichts eines biblischen Textes – sein soll, dessen Zeuge ich werde? Kann der andere mehr tun als hinzeigen: sieh dir das an! hör gut zu!?

Vergröbert läßt sich dies so darstellen:

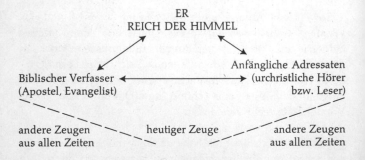

ER
REICH DER HIMMEL

Biblischer Verfasser ←——————→ Anfängliche Adressaten
(Apostel, Evangelist)   (urchristliche Hörer bzw. Leser)

andere Zeugen   heutiger Zeuge   andere Zeugen
aus allen Zeiten   aus allen Zeiten

Im Neuen Testament lesen heißt nun, die vielfältigen hier waltenden Beziehungen wahrzunehmen. Wahr nehmen – nicht bloß zur Kenntnis nehmen, sondern ihre Wahrheit bedenken, ihrer inne werden. Fassen wir jede Seite des Dreiecks kurz für sich ins Auge:

Wie ist das Verhältnis zwischen Verfasser und Adressat? Was verbindet, was unterscheidet sie? Warum kommt es zwischen ihnen überhaupt zu schriftlichem Austausch? Was bedeutet das Schriftstück für die Hörer? Ich betone diesen Punkt nachdrücklich, denn in modernen Bibelauslegungen kommen die anfänglichen Empfänger der Texte immer zu kurz; oft werden sie nicht einmal erwähnt! Dabei weiß jeder aus eigener Erfahrung, wie sehr der Adressat das für ihn bestimmte Schreiben von vornherein mitbestimmt: der Bericht über denselben Tag fällt anders aus im Brief an die Freundin, anders im Brief an die besorgte Mutter. In den Briefen des Paulus kann man sehen, wie lebendig gegenwärtig dem Apostel seine Hörer sind: wie viele grüßt er in Römer 16 einzeln mit Namen! Wir sehen – besonders in den Anfängen seiner Briefe – wie Paulus und seine Gemeinden verbunden sind in der Gemeinschaft des Betens. Sollte ein Evangelist bei Abfassung seines Buches weniger gebetet haben als der Apostel, und sollte weniger für ihn gebetet worden sein als für jenen?

Überall im Neuen Testament wird die Liebe gesehen als die Erfüllung des göttlichen Gesetzes (Röm 13,8–10; Mk 12,28–34; Joh 13,34 f.; 1 Joh 4,16). Wir haben also davon auszugehen, daß die Beziehungen zwischen Absender und Adressat von der Liebe bestimmt sind, und die Texte die *Sprache der Liebe* sprechen. Ich werde mich kaum tief genug in einen Text versenkt haben, solange ich nicht zu sagen vermag, inwiefern dieser Text die Sprache der Liebe spricht, also ein Wort nicht nur über sie, sondern ein Wort der Liebe selber ist. Von dieser Annahme darf der Leser ausgehen. Das schließt nicht aus, daß es im Einzelfall anders ist. Das muß dann aber am betreffenden Text gezeigt werden. Auf die untere Seite unseres Dreiecks können wir also schreiben: Liebe.

Die Liebe zwischen Absender und Empfänger hat im Neuen Testament – so kann man sagen – einen Inhalt. *Der Inhalt der Liebe ist der Glaube* der Empfänger und darin die Freude der Absender (vgl. 1 Joh 1,1–4; Phil 2,17). Bleiben wir zunächst beim ersten, so können wir sagen: Der Liebe des Absenders geht es um das Glauben der Adressaten, ihr lebendiges Verhältnis zu Gott, ihr Heil. – Wir sind es gewohnt, daß von der Liebe gesprochen wird als tätiger Folge des Glaubens. Doch das ist höchstens die halbe Wahrheit. Denn wer auch nur die Verantwortung für die eigenen Kinder ernst zu nehmen versucht, der weiß: was ist das für eine Liebe, die den Kindern jenes Feste schuldig bleibt, an das sie sich halten können in Sterben und Leben; die ihnen den Gott vorenthält, den sie von ganzem Herzen lieben können? So ist im Neuen Testament der vornehmste Inhalt der Liebe der Glaube. Wir können auf die rechte Seite des Dreiecks also schreiben: Glauben.

Diesem Glauben ist mit der Bereitstellung von Informationen noch nicht zureichend gedient. Und es leuchtet ohne viel Worte ein, daß die dem Blick zunächst verborgene Tiefe, aus der das biblische Wort entspringt, das Gottesverhältnis derer ist, die hier schreiben. Ihr Wort ist also nicht nur ein Wort über den Glauben, sondern will zuvor gehört werden als Wort des Glaubens. Wem gilt dieser Glauben? Er gilt dem Gott, den sie kennen als den Gott der andern (Ernst Fuchs[16]). Wenn Jesus von seinem Gott spricht, dann sagt er immer wieder: euer Vater, euer Gott (Mt 5,16.45.48; 6,1; Joh 20,17). Und so – als den Gott der andern – verstehen ihn auch die Apostel und wissen sich gesandt zu allen Völkern der Erde (Mt 28,19). Ihr Gottesverhältnis ist bestimmt von der Hoffnung für diese andern. Hier will – kindlich gesprochen – keiner ohne den andern in den Himmel kommen (Ernst Fuchs[17]). Hier kann es auch keiner (Selma Lagerlöf, „Unser Heiland und St. Peter" in den Christuslegenden). Denn der Gott, von dem hier die Rede ist, fragt jeden nach seinem Bruder (vgl. Gen 4,9). Auf die linke Seite des Dreiecks können wir schreiben: Hoffnung.

So ist, wer im Neuen Testament liest, Zeuge des Geschehens von Lieben, Glauben und Hoffen, das der Flamme gleich vor ihm brennt.

Der Leser als Zeuge: das kann uns befreien von mancher Gewalttätigkeit im Umgang mit der Schrift. Ich presse ihr keine Antworten ab auf Fragen, die sie so nicht kennt. Ich benutze sie nicht als Gesetzbuch, kraft dessen ich meinem Nächsten sage, was er in Gottes Namen zu tun und zu lassen habe – als ob wir nicht mit eigenen Augen zu sehen und mit eigenen Ohren zu vernehmen hätten, was an der Zeit ist (vgl. Lk 10,25–42)! Zu- und Aufdringlichkeiten verdunkeln das Licht der Schrift. Meine Aufgabe ist, dieses Licht leuchten zu lassen – so rein wie möglich. Wo und wie dieses Licht den andern trifft, darüber kann ich nicht verfügen und nicht verfügen wollen. Aber ich weiß: Licht ist Licht. Wer Arges tut, der hasset das Licht, auf daß seine Werke nicht an den Tag kommen. Wer aber die Wahrheit tut, der kommt zu dem Licht, daß seine Werke offenbar werden, denn sie sind in Gott getan (Joh 3,20).

Als ein bloßer Zeuge trat ich hinzu und hörte, was der Evangelist in den Seligpreisungen den Seinen gab als Wort Jesu, des HERRN. Niemand verwehrte mir das Hören und Sehen. Matthäus und seine Gemeinden wußten nichts von mir. Aber so gewiß dort Licht aufleuchtete und so wahr Licht unteilbar ist, so gewiß kann dies Licht auch mich treffen. Die Worte, mit denen ich dann zu sagen versuche, was ich im Schein dieses Lichtes erkenne, können anders lauten als die Worte im Text. So hat der Leib des HERRN im Brot des Altars keine Ähnlichkeit mit dem geschundenen Leib des gekreuzigten Jesus. Aber gerade in dieser Unähnlichkeit ist das Geheimnis Seiner Gegenwart im Sakrament beschlossen.

Im Vorübergehen haben wir schon davon gesprochen, müssen aber jetzt den Blick eigens darauf richten: Das Neue Testament als Ganzes wie auch seine einzelnen Schriften sind Texte Verfolgter, uns anvertraut als Erbe der Märtyrer. Wie gehen wir mit diesem Erbe um?

Wir haben uns also im Folgenden zunächst zu vergegenwärtigen, in welchem Sinne die neutestamentlichen Schriften Texte Verfolgter sind und danach uns darauf zu besinnen, was das für unseren Umgang mit diesen Texten bedeutet. Zunächst aber ein Wort zur Überschrift: In der ersten Ansprache auf westlichem Boden nach seiner Ausbürgerung durch die Sowjets sagte Alexander Solschenizyn: „Wir reichen Ihnen die Erfahrung unserer Leiden[18]." Dieser Satz könnte auch über dem Neuen Testament stehen. Ich habe ihn hier als Überschrift gewählt, weil ich überzeugt bin davon: wer die Texte der Verfolgten unseres Jahrhunderts nicht zur Kenntnis nimmt, der kann das Neue Testament nicht verstehen. Wie sollte, wer der Stimme heute verfolgter Christen sein Ohr verschließt, ein offenes Ohr haben können, wenn diese Stimme aus dem Neuen Testament zu ihm spricht? Mehr als aus allen neuzeitlichen Kommentaren habe ich für das Verständnis des Neuen Testaments gelernt aus Büchern Solschenizyns, Sinjawskis und Martschenkos, aus Bulgakows „Der Meister und Margarita", aus Bodo Scheurigs Biographie „Ewald von Kleist-Schmenzin" und den letzten Zeugnissen deutscher Widerstandskämpfer gegen Hitler, vor allem den Abschiedsbriefen von Helmut James Graf von Moltke[19]. Es gibt eine Fülle weiterer Zeugnisse, nicht zuletzt aus der Türkei, aus Afrika und Südamerika[20]. Nicht jeder muß alle diese Texte lesen. Aber jedem, der mit dem Neuen Testament umgehen will, müssen Verfolgte von heute vor Augen stehen, vor allem in seinem Beten.

Nicht erst das Neue, sondern bereits das Alte Testament ist Erbe und Gabe Verfolgter: Das jüdische Volk, das sich bis heute versteht als das aus der Sklaverei des Pharao kommende, hatte seit dem Jahre 587 v. Chr. seine politische Selbständigkeit verloren. Seitdem war es – mit der kurzen Ausnahme des hasmonäischen Königtums 143–63 v. Chr. – im eigenen Lande fremder Gewalt, fremdem Geist und fremder Religion unterworfen und im übrigen in aller Welt als Minderheit zerstreut. Als Minderheit, die schon damals immer wieder als Sündenbock für den Zorn aufgebrachter Massen schrecklichen Pogromen ausgesetzt war (vgl. das Buch Ester[21]). Daß wir überhaupt ein Altes Testament haben, daß Israels Glaube nicht ausgelöscht wurde wie viele andere alte Religionen, das verdanken wir – menschlich gesprochen – den Kämpfern und Märtyrern der Makkabäerzeit. Die beiden Bücher dieses Namens im Alten Testament erinnern daran. Wie immer, so bediente sich auch in Israel die fremde Gewalt der einheimischen Helfershelfer. So wird Jerusalem zur Stadt, die die Propheten Gottes tötet (Mt 23,37). So sehen die Christen den Christus und sich selbst auf die Bahn dieser Propheten gestellt (Mt 5,12; Lk 13,33). Wenn im Neuen Testament von Pharisäern die Rede ist, so müssen wir daran denken: die Pharisäer sind zur Zeit Jesu diejenigen im Volk, die unter den Bedingungen der Fremdherrschaft in strikter Gewaltlosigkeit im strikten Gottesgehorsam zu leben suchen – und das heißt: unter Opfern, auch dem des eigenen Lebens (vgl. 2 Makk 6,18 – 7,42).

Nun die Christen: Vom Märtyrertod Johannes des Täufers um das Jahr 28/29 n. Chr. bis zum Jahre 313, in welchem Konstantin das Christentum legalisierte, lebten die christlichen Gruppen im Untergrund. Nicht als ob sie ständig und überall blutig verfolgt worden wären, als ob es nicht Zeiten und Zonen verhältnismäßig ungestörter Entfaltung gegeben hätte. Aber grundsätzlich gehörten die Christen in diesen dreihundert Jahren einer Gruppe an, die von ihrer jüdischen wie heidnischen Umgebung voll Mißtrauen beobachtet und oft genug schikaniert, belästigt, feindselig behandelt und eben immer wieder auch blutig verfolgt wurde, sei es in wilden Pogromen, sei es durch die staatliche Gewalt. Wenn man weiß, daß die Titel HERR (griechisch: kyrios) und König, die die Christen ihrem Jesus gegeben hatten, auch Titel des Kaisers in Rom waren, dann sieht man, wie leicht es war, die Christen staatsfeindlicher Umtriebe zu verdächtigen (vgl. Apg 17,7). Auf eine entsprechende Anzeige hin mußte der zuständige römische Beamte mit der routinemäßigen Überprüfung der Loyalität des Denunzierten reagieren; ein kleines Weihrauchopfer vor dem Standbild des Kaisers und ein vernehmliches „Kyrios Kaisar" (HERR ist der Kaiser) in Gegenwart des Beamten – mehr war nicht erforderlich. Eine andere Form des Loyalitätserweises gab es im Reich der vielen Völker und Religionen nicht. Wurde dieser verweigert, so blieb den Vertretern des Imperiums nichts anderes übrig, als die Christen wegen – wir würden sagen – versuchten Hochverrats hinrichten zu lassen. – Dreimal gab es systematische, das gesamte Reichsgebiet betreffende Versuche zur Unterdrückung der christlichen Bewegung: 250/51 unter Kaiser Decius, 257/58 unter Valerian und 303–11 unter Diokletian. Wer irgend kann, der lese wenigstens die folgenden Texte aus jener Zeit: die Anfrage des Römischen Statthalters Plinius d. J. an Kaiser Trajan betreffend die Behandlung von Christen (um 111/13); die christlichen Berichte über die Martyrien des Bischofs Polykarp von Smyrna (um 160) und der Perpetua und Felicitas (202/03)[22] sowie Tertullians „Verteidigung des Christentums" (Apologeticum) gegen die in der Öffentlichkeit erhobenen Vorwürfe – eines der eindrucksvollsten Bücher der gesamten Kirchengeschichte[23].

Von der Kirche dieser drei Jahrhunderte empfangen wir das Neue Testament. Ohne ihr Opfer wären uns seine Texte nicht erhalten geblieben. Und umgekehrt: Hätten diese Texte sich nicht in der Verfolgung bewährt, hätte die Kirche kaum an ihnen festgehalten. Sie sind alle durchs Feuer gegangen.

In fast jeder neutestamentlichen Schrift ist die Situation der Bedrängnis klar zu erkennen: Jesus hat das gewaltsame Ende des Johannes, seines Täufers und Lehrers, vor Augen; die Jünger das Ende Jesu. Paulus hat Unsägliches durchgemacht (2 Kor 11,23–33) und muß mit seiner Hinrichtung rechnen (Phil 1,12–26; Röm 8,35–39). Alle vier Evangelisten blicken auf eine verfolgte Gemeinde: „ihr werdet gehaßt werden von jedermann um meines Namens willen" (Mk 13,13). Haben sie mich verfolgt, sagt Jesus im Johannesevangelium, so werden sie euch auch verfolgen. Sie werden euch in den Bann tun (= aus der Gemeinschaft der Synagoge ausschließen). Ja, es kommt die Stunde, daß wer euch tötet, wird meinen, er tue Gott einen Dienst damit (Joh 15,20; 16,2). Was man sich unter Verfolgung vorzustellen hat, sehen wir in der Apostelgeschichte: vorübergehende Inhaftierung zur Einschüchterung (4,3 ff.), Prügelstrafe in der Synagoge (5,40), Hinrichtung (oder Lynchjustiz) durch Steinigung (7,56), Massenverhaftung und andere Maßnahmen mit der Folge der Ausbürgerung und Vertreibung (8,1–3; 9,1–2), Folter und Enthauptung durch die staatliche Gewalt (12,1–4). Und außerhalb Palästinas: Aufhetzen einflußreicher Kreise und des Pöbels gegen die Christen (13,50) bis zur Steinigung (14,5; 15,19), Anzeige wegen Gefährdung der öffentlichen Ruhe und Sicherheit und Verurteilung zur Auspeitschung (16,19–23), Denunziation wegen Vorbereitung von Aufstand und Hochverrat (17,5–9), Verfolgung durch das mit dem heidnischen Kult verbundene Gewerbe wegen Geschäftsschädigung (19,23–40). – Das alles muß man nun in das Leben des einzelnen Christen und seiner Familie übersetzen: Wie ist das, wenn sie deine Kinder auf der Straße verspotten und verhauen; wenn Steine durchs Fenster fliegen; wenn die bisherigen Freunde und Geschäftspartner auf Distanz gehen; wenn der in Aussicht genommene Bräutigam sein Versprechen zurückzieht, weil die Braut oder ihre Eltern Christen geworden sind; wenn einer als Sklave zusätzlichen Schwierigkeiten ausgesetzt ist aus demselben Grunde? Wir spüren: Ob wir dies und anderes im Neuen Testament wahrnehmen oder nicht, hängt nicht so sehr von wissenschaftlicher Belehrung ab, sondern mehr davon, ob ich auch heute hin- oder wegblicke, wenn dem Nächsten Unrecht geschieht.

Also: grundsätzlich haben wir jeden neutestamentlichen Text in die Situation der Verfolgung einzusetzen. Damit ist nicht gemeint, daß die Verfolgung das Thema des Neuen Testaments sei. Gemeint ist, daß wir immer zu prüfen haben, ob und wie ein Text mit der Bedrängnis zu tun hat, inwiefern die Verfolgung Licht wirft auf ihn. Beispiel: Kein harmloseres, langweiligeres Gebot scheint es zu geben als „ihr Lieben, lasset uns untereinander lieb haben" (1 Joh 4,7). Wenn aber die Polizei den Nachbarn oder den christlichen Bruder holt – was heißt dann lieben? Wie nahe liegt es dann, sich und die Seinen zu schützen durch ein deutliches „ich kenne den Menschen nicht" (Mt 26,72)! – Oder: Das Gebot der Feindesliebe wird oft verstanden als Aufforderung zu einer Art ethischer Höchstleistung. Aber zunächst geht es dort im Text (Mt 5,44) um etwas anderes. Nämlich: Was kann ein Christ dem andern sagen, der zu Verhör, Folter und vielleicht zum Todeskampf in der Arena geführt wird? Auch im weniger schlimmen Fall: Was kann einer dem andern sagen, der um Christi willen blanken Haß erfährt und seinen Hasser vom heiligen Eifer bewegt sieht, der guten Sache zu dienen? Ich sehe vor mir, wie es einer dem andern in der Stunde des Abschieds zuflüstert: Wenn sie dich schmähen, wenn sie dich schlagen, wenn's zum Letzten kommt – im Namen Jesu, bet' ein „Vater, vergib ihnen" (Apg 7,59; Lk 23,34). In diesem Gebet – so denke ich – bewahrt Gott das Herz des Märtyrers vor dem Haß. In diesem Gebet hält der Märtyrer dem Verfolger die göttliche Zukunft offen, denn in diesem Gebet ist der Verfolger von heute der Bruder von morgen. Diese Feindesliebe ist das Fundament der Kirche: Hätten die Gemeinden in Judäa, hätte ein Petrus und Jakobus nicht den Paulus als Bruder aufgenommen, der die Gemeinde Gottes verfolgt und zu vernichten gesucht hatte (Gal 1,13.23; 1 Kor 15,9), so hätte Paulus nicht als Apostel wirken können. Sie haben ihn angenommen, so wie sie selbst von Christus angenommen worden waren (vgl. Röm 15,7). Jesus als den HERRN bezeugen, das heißt im Neuen Testament und der frühen Kirche zuhöchst, den Zeugentod sterben. Im Griechischen ist beides ein Wort: Martyrium heißt Zeugnis, Märtyrer heißt Zeuge.

In der Bundesrepublik werden keine Christen verfolgt. Wir vergewaltigten und verharmlosten die Texte, wollten wir sie aus der Situation der Verfolgung in unsere Lage übertragen. Sie wären dann wie das kraftlos gewordene Salz in Mt 5,13 – entbehrlich. Wir müssen umgekehrt verfahren und jene neutestamentliche Situation der Verfolgung so deutlich wie möglich von unserer Situation unterscheiden. Dann erst können wir hineingezogen werden in den geheimnisvollen Vorgang, von dem Paulus immer wieder spricht: daß die Armut der einen die andern reich macht, der Schmerz der einen zum Gehilfen der Freude für die andern wird (2 Kor 6,1–10; 8,9; 11,1 – 12,15). Es ist weder der Wunsch noch die Absicht der Märtyrer, daß alle Christen ihren Weg gehen. Im Gegenteil: Drei Jahrhunderte konsequenter Gewaltlosigkeit haben der Kirche die Freiheit errungen. Gewiß brachte diese Freiheit auch neue Versuchungen und Gefahren. Aber es gehört ein Maß an Ahnungslosigkeit und Undankbarkeit dazu, das mich schaudern läßt, diese Freiheit der Kirche als eine bedauernswerte Tatsache hinzustellen, wie das immer noch geschieht. Kein Christ kann dem andern das Verfolgtwerden wünschen! Und jeder, der als Christ einigermaßen in Frieden und Freiheit leben darf, kann dafür nur dankbar sein. Auch sollten wir nicht vergessen: die viel kritisierte, „privilegierte" Stellung der Kirchen in der Bundesrepublik hat ihren Grund auch im Opfer derer, die neben Jesus Christus keinem andern Führer zu gehorchen gewillt waren. (Aber wie selten erinnern diese Kirchen uns an diesen Grund ihrer Freiheit!)

Opfer – das Wort macht nicht wenige Zeitgenossen aggressiv. Das ist insoweit verständlich, als mit diesem Wort nicht nur im NS-Staat, sondern auch davor und danach furchtbarer Mißbrauch getrieben wurde. Aber ohne die Wahrnehmung des Vorgangs, der in Wahrheit Opfer genannt werden darf, bleibt uns das Neue Testament verschlossen. Denn der Ursprung des Neuen Bundes ist nicht Jesu Wille sondern Jesu Opfer. Wir sollten das Wort nicht nur heroisch verstehen. Opfer heißt: du stirbst, damit ich lebe und Gott lobe. Das ist der Grundvorgang des Lebens. Jeder Lebensvorgang ist auch ein Sterben. Damit Leben sich entfalten und des Lebens sich freuen kann, muß anderes Leben schwinden und Platz machen. Wo dies bejahend, im Einverständnis zwischen Gebendem und Nehmendem geschieht, da sprechen wir von Liebe. Auch in der Liebe lebt – so zu sagen – eins auf Kosten des andern. Aber nicht in der Weise der Räuber. Sondern in der Weise des willigen geheimnisvollen Wechsels von Saat und Frucht, Fundament und Bau, Platz bereiten und wohnen, Vorangehen und Nachfolgen, Ersten und Letzten, Herrschen und Dienen. In der Liebe werden Tod und Leben eins, letztlich geeint in Freude und Frieden: Er muß wachsen, ich aber muß abnehmen (Joh 3,30). Herr, nun lässest du deinen Diener in Frieden fahren, wie du gesagt hast; denn meine Augen haben deinen Heiland gesehen (Lk 2,29). Wenn das Weizenkorn nicht in die Erde fällt und erstirbt, so bleibt's allein; wenn es aber erstirbt, so bringt es viel Frucht (Joh 12,24). Ich gehe hin, euch die Stätte zu bereiten (Joh 14,2).

Auch der Räuber lebt auf fremde Kosten – aber mit Gewalt und ohne Dank. Er will nicht die Einheit, sondern die Trennung von Tod und Leben: der Tod für dich, das Leben für mich! So vergeht er sich gegen das Grundgesetz des Lebens. Während die Dankbarkeit das Opfer ins Licht rückt, sucht der Räuber sein „Opfer" möglichst spurlos zu beseitigen; an unseren modernen Großbauten erinnert kein Denkstein an die Verletzten und Toten beim Bau; keine Werbung führt uns vor Augen, um welchen Preis die Südfrüchte so billig sind; kein Arzneimittelprospekt gedenkt der Leiden von Tieren bei der Erprobung des Präparats! Daß Tod und Leben getrennt werden, daß das Lebendige uns nicht heilig ist, daß prinzipielle Undankbarkeit unsere Gesellschaft kennzeichnet – in alldem offenbart sich unsere Gottvergessenheit.

Das Opfer aber anzunehmen, ist die tiefste denkbare Verpflichtung zum Leben. Wenn Paulus im Gespräch mit Christen zum Höchsten greift, um dem andern die Verantwortung für den Bruder ans Herz zu legen, dann spricht er vom „Bruder, für den Christus gestorben ist" (1 Kor 8,11; Röm 14,15). Jesu Opfer erfüllt das Leben des Apostels – so sehr, daß Paulus sagen kann „Christus ist mein Leben und Sterben mein Gewinn" (Phil 1,21). So wird, wer sein Leben (wie ein Räuber) zu retten sucht, es verlieren; und nur wer sein Leben stirbt und sein Sterben lebt, wird es gewinnen (vgl. Lk 17,33).

Die Einheit von Leben und Tod in der Liebe zeigt sich auch darin, daß hier Freude und Leid beieinander sein können. Weinen mit den Weinenden, sich freuen mit den Fröhlichen (Röm 12,15) – Trauer darf Trauer und Freude Freude sein. Anders beim Räuber: sein Vergnügen wird gestört durch den Anblick des Trauernden. Die Freude aber, die der Apostel meint, kann und soll sich sehen und hören lassen gerade vor den Traurigen. Und die Weinenden, die Paulus meint, vergällen den Fröhlichen nicht die Freude. Wie das? Mir wurde die Antwort deutlich im Umgang mit Blinden. Wie kann der Sehende vor dem Blinden bestehen? Sicher nicht dadurch, daß er dem Blinden beteuert, die eigene Sehkraft lasse auch schon zu wünschen übrig, so daß er demnächst eine Brille brauche! Sondern umgekehrt dadurch, daß er angesichts der Blindheit des andern die eigene Sehkraft möglichst gut gebraucht und wegblickt von den Bildern, die des Wunders Auge nicht würdig sind. Wie kann die glückliche Mutter vor der bestehen, die ihr Kind verloren hat? Die Glückliche kann die Trauernde nicht tiefer kränken als durch Mißachtung ihres eigenen Glücks, durch Undankbarkeit. Nicht die Nivellierung der Situationen dient dem Leben, sondern ihr Beieinander in klarer Unterscheidung.

„Wir reichen Ihnen die Erfahrung unserer Leiden" – je tiefer wir das im Umgang mit dem Neuen Testament wahrnehmen, desto mehr bereichern die Texte unser Leben.

3. „Geschenk der Armen an die Reichen"

Wie wir die Texte des Neuen Testaments empfangen als Gabe der Verfolgten und Erbe von Märtyrern, so empfangen wir sie als Geschenk von Armen an uns verdächtig Reiche:

Jesus und die Seinen leben von Almosen und Unterstützung – vorwiegend wohlhabender Frauen (Lk 8,1–3). Die urchristlichen Apostel wurden als heilige Bettler ausgesandt: nehmt nichts mit auf den Weg, keinen Wanderstab (sie sind also wehrlos z. B. gegen Schlangen, vgl. Mk 16,18), keine Vorratstasche, kein Brot, kein Geld und kein zweites Hemd (Lk 9,3). Diese Armen preist Jesus selig (Mt 5,3; Lk 6,20). Wenn die Jünger am Abend beten – mit dem Abend beginnt der neue Tag (Gen 1,5) –, dann sollen sie um nicht mehr bitten als um das Brot für diesen Tag, so daß sie ohne Sorgen einschlafen können (vgl. Mt 6,11.34). Jedoch ist die Urchristenheit keine Armuts- und keine Armenbewegung. Wer von Almosen lebt, lebt bewußt davon, daß es Reichere gibt als ihn, daß nicht alle Bettler sind. Mögen in den urchristlichen Gemeinden die Ärmeren in der Mehrzahl gewesen sein – von Anfang an gab es auch Wohlhabende unter ihnen. Die Frau eines königlichen Verwalters gehörte kaum zu den Armen; auch die Hausbesitzerin Marta nicht, wie sonst hätte sie sich so viel zu schaffen machen können (Lk 10,40)? Jesus wird von Wohlhabenden zu Tisch geladen (Lk 7,36; 14,1; 19,1 ff.). Joseph, der ihn begrub, war kein armer Mann (Mk 15,42–46). Die Apostelgeschichte zeichnet folgendes Bild: In Antiochien gehört ein Jugendgefährte des Fürsten Herodes der Gemeinde an (13,1); auf der Insel Zypern gewinnt Paulus den Prokonsul Sergius Paulus (13,4–12); die Purpurhändlerin Lydia in Philippi vermag Paulus samt Silas eine geraume Zeit zu beherbergen und zu verköstigen (15,40). Ihre Kunden gehörten – zumindest indirekt – zur obersten Schicht; Handel und Färben mit Purpur waren weit verbreitete, einträgliche Gewerbe. In Thessaloniki gewinnen die Apostel nicht wenige Frauen aus vornehmen Kreisen und den angesehenen Jason (17,4.7); ähnlich in Beröa (17,12); in

Athen ist es Dionysius, ein Mitglied des Rates der Stadt (17,34); in Korinth der Synagogenvorsteher Krispus (18,8). Dem gelehrten Apollos aus Alexandrien konnte sein Vater offenbar eine gründliche Ausbildung bezahlen (18,24). Die in Ephesus Bekehrten waren reich genug gewesen, sich Zauberbücher von erheblichem Wert anzuschaffen (19,19). Der Apostel selber aber ist arm. Sein ganzer Reichtum besteht im Namen Jesu Christi (3,6). Dies entspricht dem, was wir bei Paulus selber im 1 Kor lesen: nicht viele Weise, Mächtige und Vornehme gehören zur Gemeinde in Korinth, aber offensichtlich einige (1,26); manche können sich Prozesse und den Gang zur Dirne leisten (6,1.15). Päderastie und Habgier, derer sich einige in der Vergangenheit schuldig gemacht haben, sind eher Laster der Wohlhabenden (6,9–11), was wohl auch vom Saufen und Fressen galatischer Christen (Gal 5,21) und dem zügellosen Leben derer in Thessaloniki gilt (1 Thess 5,14). Es gibt Sklaven und Sklavenbesitzer (1 Kor 7,22; Phlm), Leute mit Kaufkraft (1 Kor 7,30; 10,25), Arme und Reiche (11,22). Aber alle werden von Paulus aufgefordert, jeden Sonntag etwas Geld zurückzulegen für die Kollekte zugunsten der Christen in Jerusalem (16,2). Auch die Christen in Mazedonien sind, wiewohl arm, doch zu erheblichen Spenden in der Lage (2 Kor 8,1–5; Phil 4,10–20). Die apostolische Arbeit des Paulus erforderte auch bei bescheidenster Lebenshaltung erhebliche Mittel für zahlreiche Reisen verschiedener Mitarbeiter, den Papyros für die Korrespondenz und doch wohl auch eine Mindestausstattung des Apostels, seiner Mitarbeiter und Gemeinden mit biblischen (also alttestamentlichen) Texten. Man kann sich auch überlegen, wie Lukas die Apostelgeschichte verfaßte; mußte er Reisen unternehmen, um seine Informationen zu beschaffen? War er frei von der Nötigung zum Broterwerb und hatte also Zeit? Sein Stil jedenfalls verrät den gebildeten und also nicht ganz armen Mann.

Es geht im Neuen Testament weder um die Abschaffung des Reichtums noch die der Armut. Es geht um die Gemeinschaft von arm und reich, und um jene Freiheit, die Paulus einmal in einer Art Gedicht so beschreibt (Phil 4,11–13 – N):

Ich hab's gelernt, in jeder Lage unabhängig zu sein
Ich kann leben in Armseligkeit
und kann leben in Überfluß
in alles und jedes bin ich eingeweiht

beides: ins Sattsein und ins Hungern
beides: ins Überfluß-haben und Mangel-leiden
alles verkrafte ich durch den, der mich stärkt.

Wir sehen: Die Urchristenheit als Ganze ist im Vergleich zu uns arm. Aber schon in ihr ist das Evangelium das Geschenk von Armen an Reichere. Das WORT ist in besonderer Weise an die Armut gebunden. Davon soll jetzt die Rede sein.

Als Paulus wieder einmal an die von ihm ins Leben gerufene Gemeinde in Korinth schrieb, da geschah es und überwältigte ihn selbst: sein Herz wurde weit, und wes das Herz voll war, des floß der Mund in ganz ungewöhnlichen Worten über. Die folgende Übersetzung versucht, etwas vom Schwung dieser Worte spüren zu lassen unter Verzicht auf Wörtlichkeit an manchen Stellen. Den Sinn hoffe ich getroffen zu haben (2 Kor 6,3–10):

Keinerlei, in keinem (Punkte) geben wir Anstoß;
daß ausgesetzt sei dem Hohne nicht (heiliger) Dienst.
Nein, in allem erweisen wir uns als GOTTes Diener:
in vielem Erdulden,
in Trübsal, Gefahr und Angst,
unter der Peitsche, im Kerker, beim Pogrom,
in (Tagen voll) Mühen, (in Nächten) ohne Schlaf,
mit leerem Magen;
mit reinem Herzen, in (klarer) Erkenntnis,
geduldig und gütig,
in heiligem Geist, in Liebe ohne Falsch;
mein Wort: die Wahrheit; meine Kraft: GOTT;
meine Waffen: das Recht

(als Schwert) in der Rechten und (Schild in der) Linken;
geehrt und geschmäht,
gelästert, gelobt;
als Betrüger (verschrieen), als wahrhaftig (erwiesen);
man kennt uns nicht, doch wir werden bekannt;
als Sterbende, und siehe – wir leben,
ausgepeitscht und doch nicht getötet;
man tut uns weh – wir sind allezeit fröhlich:
Arme, die viele zu Reichen machen,
Habenichtse, die alles besitzen.

Das ist Paulus! Mir wäre jeder einzelne Punkt dieses Katalogs zuviel. Paulus aber steht das alles nicht nur durch, er steht so weit darüber, daß er damit gleichsam spielen und alles zu einer Art Hymne zusammenfügen kann. Der erste Eindruck mag sein: völlige, siegreiche Freiheit. Kein Vernünftiger wird sich die Leiden des Apostels wünschen. Aber wer hier zu hören vermag, der wird sich wenigstens etwas von der Freiheit wünschen, die hier wie eine Fanfare sich vernehmen läßt: Empfänglich für jeden körperlichen und seelischen Schmerz und doch unabhängig von gutem wie schlechtem Ruf, von Erfolg und Mißerfolg, von materieller Sicherung und entsprechender seelischer Beruhigtheit; allzeit fröhlich, nichts entbehrend, alles besitzend!

Hier gibt es nichts zu „übertragen". Sondern wir haben etwas wahrzunehmen, was uns weithin fremd geworden ist: die uns aus den Worten des Apostels entgegenleuchtende Freiheit. Jeder, der will, kann sie sehen. Wer aber kann sie erfahren? Kann man sie erfahren anderswo als dort, wo Paulus ist? Dort bin ich nicht. Dort sind auch die korinthischen Christen nicht. Aber Paulus *würdigt* sie dieser Worte! Er würdigt sie dessen, daß er sie diese Freiheit sehen läßt als die Freiheit des Apostels, der ihnen zugute lebt und leidet. So gewinnen sie – auf ihre Weise! – Anteil an dieser Freiheit. Paulus verlangt ja nicht, daß alle werden wie er. Er sagt nicht: Wer nicht durchgemacht hat, was ich durchgemacht habe, der kann nicht ins Reich Gottes kommen. Er fürchtet aber, die Korinther könnten die Gabe des apostolischen Wortes nicht empfangen haben als das, was sie ist, nämlich die wunderbare Gnade Gottes, die sich als Gabe von Armen an Reiche zeigen und mitteilen will (2 Kor 6,1). Paulus sieht hier Göttliches vorgehen. Er möchte, daß die Korinther in ihrer Begegnung mit dem Apostel jenes Geschehen erkennen, das Paulus dann 2 Kor 8,9 so beschreibt:

> Er, der HERR, Jesus Christus,
> ob er wohl reich ist,
> ward er doch arm um euretwillen,
> auf daß ihr durch seine Armut reich würdet.

Wer einen solchen Text liest, ist gefragt, wie er mit ihm umgehen will. Deutlich ist: Ich bin nicht dort, wo Paulus ist. Ich bin reich, nicht arm. Der Text aber ist Licht. In diesem Licht kann viel geschehen: Ich kann meiner Armut an jener Freiheit inne werden; ich kann von jener Freiheit erzählen, indem ich von Paulus erzähle; ich kann dafür danken, daß ich sie sehen durfte. Es kann geschehen, daß der Text Licht wirft auf meine ganze Wirklichkeit, so daß ich nun immer neu Vorgänge entdecke von der Art „die Armut der einen macht die andern reich": Der Vikar, der mit bebendem Herzen seinen ersten Krankenbesuch machte, kehrt bereichert zurück; nicht er hat den Kranken, aber der Kranke hat ihn ermutigt. Wie viele große Werke der Dichtung, der Musik, der bildenden Kunst kommen aus furchtbarer Armut (Jean Paul, Franz Schubert, Vincent van Gogh usf.)! Wo sind die Quellen tiefer Freude, des Trostes, der Heiterkeit? Wie arm sind, die nur das kennen, was sie sich kaufen können! Wie arm jeder, der nie erfahren hat, daß es das wirklich Gute nur geschenkt gibt! Hängt unsere geistliche Armut damit zusammen, daß wir zwar manches klischeehafte Wissen von der Armut in der Welt haben, aber vor lauter Helfenwollen nicht dazu kommen, die Gabe der Armen zu empfangen? „Geschenk der Armen an die Reichen" ist der Titel eines Buches mit Zeugnissen aus dem gewaltfreien Kampf der erneuerten Kirche in Lateinamerika (hg. von Hildegard Goss-Mayr,

Wien 1979). Wer dieses Geschenk nicht sieht, ist noch blind für die Wirklichkeit und blind für das Geheimnis der Bibel.

Manches von dem, wovon ich hier spreche, ging mir auf in den Jahren, als ich Pfarrer an der Elisabeth-Kirche in Marburg war. Immer wieder fragten Besucher, die ich durch die Kirche führte: War es denn richtig, so viel Geld auszugeben für die Kirche über dem Grabe einer Frau und Fürstin, die arm wurde um Christi willen? Antwort: Diese Kirche wurde erbaut an der Stätte, an der Elisabeths Armut viele reich machte, zu ihren Lebzeiten und erst recht nach ihrem Tode. Dies weit und breit schönste Haus stand und steht jedem offen, gerade den Ärmsten. Diese Kirche war ihr Palast! Hier trat die Würde des Armen ans Licht; hier trat er ein als Freund des Hauses, als Gottes Freund. Nicht als Denkmal für die Macht der Gewalt, sondern als Zeichen für die Macht der Liebe wurde dieser Bau errichtet. So sind Kirchen wie diese – mitsamt dem für Elisabeths Gebeine angefertigten silbervergoldeten Schrein – Zeichen und Teil jenes sakramentalen Vorgangs, in dem die Armut der einen andere reich macht.

Wovon ich in diesem Kapitel zu sprechen versuchte, ist das Grundgeschehen von Leben. In diesem Grundgeschehen macht die Armut der einen andere reich, ist das Sterben des einen das Leben des andern. Mein Lehrer Ernst Fuchs sprach hier von der Einheit von Tod und Leben in der Liebe[24]. Man könnte auch sprechen von der sakramentalen Struktur der Wirklichkeit. Denn dieses Grundgeschehen des Lebens wird anschaulich gefeiert im Altarsakrament. Im Neuen Testament geht es nicht um irgend etwas „spezifisch Christliches", sondern um die Wahrheit und das Leben. Das WORT, durch das alles geschaffen ist, ward Fleisch, und wir sahen seine Herrlichkeit (Joh 1,1–14; 1 Kor 8,6). In Jesus handelt und begegnet der Schöpfer.

Nun ist es leicht zu sehen: das Leben des Räubers ist die teuflische Verzerrung des wahren Lebens. Was in diesem die Liebe freudig gewährt, das nimmt sich in jenem einer mit

Gewalt: Die Armut der einen muß seiner Bereicherung dienen, mit dem Sterben der andern sucht er das eigene Leben zu sichern. Der Räuber kann nicht dankbar sein. Aus der Maske des fortschrittlichen „Prinzip(s) Hoffnung" (Ernst Bloch) starrt uns das tödliche Prinzip Undankbarkeit an. Was kann es in einer Welt, die auf nichts sehnlicher hofft als den sogenannten Aufschwung der Wirtschaft, Störenderes geben als Zufriedenheit, Dankbarkeit, Danksagung, auf griechisch: Eucharistie?

Sakramentale Interpretation meint also das denkbar Einfachste: daß unser Umgehen mit dem Neuen Testament dem rechtschaffenen Umgehen mit der täglichen Wirklichkeit, dem täglichen Brot entspricht. Wie im Genuß des Brotes Sterben und Leben eins werden wollen im dankbaren Lob des Schöpfers, so entspringt das gute, lebensfreundliche Wort des Neuen Testaments dort, wo diese *Einheit von Tod und Leben in der Liebe* offenbar werden soll.

III.
Das Ereignis des
GEISTES

Das Leben ist erschienen – in diesen einfachsten Satz kann der
1. Johannesbrief fassen, was sich in Jesus von Nazareth er-
eignet hat. Das Leben, das mit der Schöpfung von Anbeginn
an gemeint war, ist in seinem wahren Wesen ans Licht getre-
ten. Es trat ans Licht indem und in der Art, wie Jesus Menschen sammelte im Licht des Vaters (vgl. Lk 11,23 mit Mt
5,45), und diese dann in und um Jesu Namen Menschen
sammelten als „Menschenfischer" (Mt 4,19) – zur Gemeinschaft des Lebens. Und so, als Liebe, leuchtet das Leben als
Licht in den Worten des Textes (1 Joh 1,1–4 – Schunack[25]):

> Was von Anfang an war,
> was wir gehört haben,
> was wir gesehen haben mit unseren Augen,
> was wir geschaut und unsere Hände berührt haben
> – (Zeugnis) vom Wort des Lebens –
>
> und das Leben ist erschienen
> und wir haben gesehen
> und bezeugen
> und verkündigen euch das ewige Leben,
> das beim Vater war
> und uns erschienen ist –
> was wir (also) gesehen und gehört haben,
> verkündigen wir auch euch,
> damit auch ihr Gemeinschaft habt mit uns.
> Unsere Gemeinschaft aber
> ist (Gemeinschaft) mit dem Vater

und mit seinem Sohn
Jesus Christus.
Und dies schreiben wir,
damit unsere Freude erfüllt sei.

In diesen wunderbaren Worten werden drei Ereignisse unterschieden: die Schöpfung des Lebens, die Erscheinung des Lebens in Jesus und das gegenwärtige, Lebensgemeinschaft stiftende Wort. Die Rede ist also von drei Geheimnissen: dem Geheimnis Gottes des Schöpfers, dem Geheimnis des Gottesverhältnisses Jesu und dem Geheimnis der Offenbarung dieses Gottesverhältnisses in der Gemeinde. Die Kirche hat später diese drei Ereignisse und Geheimnisse gefaßt in die Rede von der Drei-Einigkeit oder Dreifaltigkeit Gottes. Diese sogenannte Trinitätslehre ist aus dem Neuen Testament erwachsen, und darum gibt sie uns den Blick frei auf Ursprung und Wesen des Neuen Testaments. Was im vorigen Kapitel als sakramentale Interpretation skizziert wurde, möchte ich nun entfalten, indem ich mich von der Trinitätslehre leiten lasse. Darum soll im Folgenden die Rede sein vom Ereignis des GEISTES, von Jesus als dem Wort in den Wörtern des Neuen Testaments und von diesem Wort als dem Wort des Schöpfers, der da ist alles in allem (1 Kor 15,28).

1. Den Text als Ereignis verstehen lernen

Unser Umgang mit der Bibel ist immer noch weithin geleitet zum einen von der Doppelfrage: *Was* sagt die Bibel, und was sagt sie *mir?* Dieser Fragestellung entspricht die Form des Kommentars, der uns darüber belehrt, was der biblische Autor jeweils habe sagen wollen. Zum andern ist unser Umgang mit der Bibel geleitet davon, daß wir uns bewegende Fragen an die Bibel stellen. Dieser Fragestellung entsprechen Bücher über die Theologie und Ethik des Neuen Testaments, die uns die biblische Antwort auf die Fragen nach Gott, Welt und Mensch darlegen wollen. In beiden Fällen geht es um die *Aussage* des Textes, seine Meinung. Diese Meinung kann dann mit anderen Meinungen verglichen und so diskutiert werden. Diese Art des Umgangs mit der Bibel ist nicht sinnlos. Aber spüren wir dabei, daß das Wort Gottes lebendig ist, kraftvoll und schärfer als jedes zweischneidige Schwert, durchdringend bis zur Scheidung von Seele und Geist, von Gelenk und Mark, richtend über die Regungen und Gedanken des Herzens; daß kein Geschöpf verborgen bleibt vor ihm, sondern alles nackt und bloß liegt vor den Augen dessen, dem wir Rechenschaft schulden (Hebr 4,12 f.)?

Diese Art des Umgangs scheitert oft schon daran, daß die Bibel auf unsere Fragen keine Antwort gibt – einfach deshalb, weil sie diese Fragen so nicht kennt. Preßt man ihr trotzdem eine Antwort ab, so vergewaltigt man den Text und wird zugleich der eigenen Situation nicht gerecht. Zum Beispiel: Paulus schreibt „jedermann sei untertan der Obrigkeit, die Gewalt über ihn hat" (Röm 13,1). Er wendet sich dabei an Christen, die meist nicht einmal die vollen Rechte eines römischen Bürgers besaßen, geschweige denn Anteil an der politischen Verantwortung für die Stadt Rom und das Imperium. Die Masse der Bewohner des Reiches – und damit auch die Mehrzahl der Christen – waren unterworfene Völker. Ihr Verhältnis zu Rom glich in manchem dem der heutigen Ostblockvölker zu Moskau. Innerhalb dieser Völker bildeten die Juden noch einmal einen Fremdkörper und bekamen den Haß auf das Fremde in Gestalt örtlicher Pogrome oft genug zu spüren. Wer sich nun vollends auf Jesus hatte taufen lassen und zur Gruppe der Christen hielt (Apg 11,26), hatte den Haß von Juden *und* Heiden zu gewärtigen (2 Kor 22,24 f.). Bezöge ich des Apostels Wort über die Obrigkeit direkt auf die Christen in der Bundesrepublik, so verleugnete ich damit die eigene politische Verantwortung als Bürger dieses Staates und ließe diejenigen im Stich, die als Christen diese politische Verantwortung bewußt öffentlich tragen. Im Stich ließe ich gleichzeitig diejenigen, die damals und heute als Christen in politischer Unfreiheit leben. Ein

Umgang mit der Bibel, der sich darauf beschränkt, nach den Aussagen des Textes zu fragen und diese in die heutige Lage zu übertragen, erweist sich so als letztlich *wirklichkeitsfremd und undankbar!*

Was heißt nun demgegenüber, den Text als Ereignis des Heiligen Geistes zu verstehen? Zunächst dies: auf das Geheimnis der *Vollmacht* zu achten. Jeder weiß: Wenn zwei dieselben Worte aussprechen, so ist das nicht das gleiche. Was beim einen leere Formel ist, kann aus dem Mund des andern zum unvergeßlichen Erlebnis werden. Wie kommt das? Der Hörer hat das Gefühl, der Sprecher stehe hinter seinem Wort. Ob das der Fall ist, kommt unter anderem darin heraus, ob er den rechten Ton trifft, und kein falscher Ton in seinen Worten mitschwingt. Das ist zwar unwägbar; aber jedes Kind hat ein sicheres Gespür dafür! Was gehört zur Vollmacht vom Sprecher aus gesehen? Sicherlich der rechte Ort und die rechte Zeit. Wie lange muß der Bauer Johannes in Gotthelfs „Uli der Knecht"[26] warten, bis sich Ort und Stunde finden zu jenem Wort, mit dem er seinem verhudelten Knecht auf den rechten Weg zurückhilft. Doch auch dann gilt: Über die Vollmacht des eigenen Wortes verfüge ich nicht. Es wird ein Wort sein, das sich mir aufdrängt oder das sich einstellt wie ein Geschenk, so daß ich sagen *muß*, was mir aufgegangen ist (vgl. 1 Kor 9,16)[27].

Was mir *aufgeht:* Ich kann hundertmal einen Weg gegangen sein, aber erst beim hundertundersten Mal sehe ich: wie schön schwingt sich der Weg den Hang entlang! Wie kommt's, wer macht's, daß mir etwas aufgeht, so daß ich nun dafür offen bin? Ich selbst jedenfalls kann es nicht machen. Aber ich kann mich darauf einstellen: Bittet, so wird euch gegeben; suchet, so werdet ihr finden; klopfet an, so wird euch aufgetan (Mt 7,7)! Solche Ereignisse des Aufgehens erfahre ich als Ur-Sprung. Aus ihnen heraus möchte ich das Wort des Neuen Testaments hören. Was ich damit meine, möge das folgende Beispiel zeigen.

„Weiter sah ich unter der Sonne: An der Stätte des Rechts war Gottlosigkeit, und an der Stätte der Gerechtigkeit war

Frevel" (Koh 3,16). So sehen wir es; so sahen es unsere Vorfahren. So konnte es auch Jesus sehen: Der fremde Soldat
im Land kann dich von der Arbeit weg zwingen, eine Meile
mit ihm zu gehen als Geisel zum Schutz vor den einheimischen Guerillas (Mt 5,41); der Feind in Rom fordert Tribut
(Mt 22,17) und bedient sich ausbeuterischer Steuerpächter
(Lk 19,8); Jesus sieht ungerechte Richter (Lk 18,1 ff.), blutige
Frevel – vom Mord am Täufer (Mt 14,6–12) bis zum Mord
im Tempel (Mt 23,35). Doch nun: Jesus steigt allein auf einen Berg. Und betet – die ganze Nacht hindurch (vgl. Lk
6,12). Da kommt das erste Licht des neuen Tages. Noch liegt
das Tal im Dunkel – mit seinen Römern und Juden, Anpas-
sern und Widerständlern, Unfrommen und Frommen. Die
Sonne geht Jesus auf. Und was den weisen Salomo zur verzweifelten Klage trieb, das wird Jesus zu lichter Klarheit: ER
läßt Seine Sonne aufgehen über die Bösen und über die Guten! – Laß uns einfältig werden, Vater, wie Du einfältig bist
in Deiner Sonne und in Deinem Regen!

Damit, daß Jesus dies aufging, steht es noch nicht im
Buch geschrieben. Auch damit noch nicht, daß Jesus aus-
sprach, was ihm gezeigt worden war. Es mußte zuvor sein
Wort Augen öffnen, so daß wenigstens einige die Sonne
nun mit den Augen Jesu sahen und sein Wort bewahrten. Es
mußte ihnen aufgehen, daß Jesu Weg ans Kreuz mit diesem
Wort zusammenstimmte; daß die Sonne am Karfreitag nicht
für immer erlosch (Mt 27,45), sondern sich neu hob am ersten Tag der Woche (Mk 16,2). Und das Wort mußte sich
bewährt haben im Leben der Christen und des Evangelisten.
Es mußte selbst als Licht aufgegangen sein dort, wo die
Macht des Bösen zur bitteren Anfechtung wurde. Das alles
mußte geschehen sein, damit der Evangelist dies Wort als
kostbares Erbe in sein Buch schreiben konnte (Mt 5,45)!
Paulus hat von diesem Aufgehen einmal so gesprochen
(2 Kor 4,6):

GOTT,
der da hieß das Licht aus der Finsternis hervorleuchten,
der hat einen hellen Schein in unsre Herzen gegeben,
daß durch uns entstünde die Erleuchtung
zur Erkenntnis der Herrlichkeit Gottes
in dem Angesichte Jesu Christi.

In diesem einen Ereignis erscheint alles in seinem wahren Licht: die Sonne, Jesus, der Schöpfer, das Herz und die Aufgabe des Apostels. Solche Lichtereignisse sind gemeint, wenn ich hier vom Ereignis des GEISTES spreche.

Dieses Ereignis bleibt unserer Verfügung entzogen und damit natürlich auch entzogen der Verfügung durch jede Art theologischer Wissenschaft. Fleisch und Blut können das nicht offenbaren (Mt 16, 17). Paulus sagt: GOTT beschloß in seiner Güte, mir seinen Sohn zu offenbaren (Gal 1, 15). Dies, die Offenbarung Jesu im Herzen von Menschen, versteht Paulus als Auferstehungsgeschehen (1 Kor 15, 1–10). Das Neue Testament enthält also nicht nur Nachrichten von Ereignissen, sondern es ist selbst ein Teil des Geschehens, in dem der Vater den Sohn offenbart. *Das Neue Testament ist Auferstehungsgeschehen.*

Im Sinne des Neuen Testaments spricht freilich nur der von Auferstehung, der darin den Schöpfer am Werk sieht (Röm 4, 17):

Gott, der da lebendig macht die Toten
und ruft dem, was nicht ist, daß es sei.

„Eine neue Schöpfung!" jubelt Paulus (2 Kor 5, 17). Wenn durch Jesus Heilung geschieht am Sabbat, so ist das nicht eine Verletzung der Norm, sondern dann leuchtet da der wahre Sabbat auf, an dem des Schöpfers „sehr gut" (Gen 1, 31) sein dankbares und fröhliches Echo findet „Er hat alles gut gemacht" (Mt 7, 37). Wenn im Neuen Testament vom GEIST die Rede ist, dann ist meist auch an den ersten Satz der Bibel gedacht:

Am Anfang schuf Gott Himmel und Erde.
Und die Erde war wüst und leer,
und es war finster auf der Tiefe;
und der Geist Gottes schwebte auf dem Wasser.

Geht es im Neuen Testament um neue Schöpfung, dann geht es ihm um den Grund aller Dinge. Wer sich ernsthaft auf das Neue Testament einläßt, bei dem wird sich herausstellen, worauf er gegründet ist; ob sein Lebenshaus auf dem Fels steht oder auf Sand, den der erste Wolkenbruch wegschwemmt (Mt 7,26 f.). Geht es aber um den Grund unseres eigenen Lebens, dann läßt sich von vornherein vermuten, *daß der Text unseren Widerstand weckt.* Denn wer läßt sich unwidersprochen sagen: Worauf du dein Leben gegründet hast, ist Sand; woran du dich hältst, hält nicht? Dieser Widerstand wird ein Zeichen dafür sein, daß wir angefangen haben zu verstehen. Und es ist weiter zu vermuten, daß ein Teil der Klagen darüber, daß die Bibel so schwer verständlich sei, (unbewußte) Schutzbehauptungen derer sind, die sich gegen den biblischen Angriff auf ihr Lebensfundament wehren, die Bibel also nicht verstehen *wollen.* Diesen Widerstand gegen den Text sollte keiner dem andern vorwerfen. Denn er ist unvermeidlich, wie die Beschäftigung mit dem folgenden Wort zeigen wird (Mt 5,21 f. – E).

Jesus sagt:
Ihr habt gehört, daß zu den Alten gesagt worden ist:
Du sollst nicht töten:
wer aber jemand tötet,
soll dem Gericht verfallen sein.
Ich aber sage euch:
Jeder, der seinem Bruder auch nur zürnt,
soll dem Gericht verfallen sein;
und wer zu seinem Bruder sagt: Du Dummkopf!,
soll dem Spruch des Hohen Rates verfallen sein;
wer aber zu ihm sagt: Du (gottloser) Narr!,
soll dem Feuer der Hölle verfallen sein.

Auf Mord stand in Israel Todesstrafe: Wer Menschenblut vergießt, dessen Blut soll auch durch Menschen vergossen werden (Gen 9,6; vgl. Ex 21,12; Num 35,16–21; Dtn 19,1–13). Hier aber steht: Der Tatbestand des Mordes ist mit einem bloßen Schimpfwort erfüllt. Lassen wir stehen, was da steht, dann ist deutlich: das ist schlimmster Totalitarismus. Gegen eine Gesinnungsjustiz, die den bloßen Gedanken gleichsetzt mit der vollzogenen Tat, muß sich jeder bis zum letzten wehren. Dafür, daß zwischen Tat und Gesinnung unterschieden, daß niemand wegen seiner Gesinnung verurteilt werden darf; dafür, daß diese Unterscheidung zu den unaufgebbaren Fundamenten des modernen Rechtsstaates gehört, haben Unzählige gekämpft; dafür, daß sie auch heute respektiert wird in Ost und Süd, kämpft die Menschenrechtsbewegung. Dafür, daß auch bei uns nie wieder Menschen wegen eines Witzes über einen Hitler hingerichtet werden, lohnt der Einsatz des eigenen Lebens. Gegen Jesu Wort kann es nur ein entschiedenes Nein geben – nicht nur zum Schutze des eigenen Lebens, sondern um der Liebe willen.

Jesus zu widersprechen hat man uns in der Kirche nicht gelehrt. Daß wir ihm widersprechen müssen, ist manchem neu. Wir verdecken uns diesen unvermeidbaren Widerspruch gewöhnlich dadurch, daß wir nicht stehen lassen, was dasteht. Wir tun so, als wolle Jesus vor dem Zorn als dem Anfang schlimmer Taten warnen oder vor der Selbstgerechtigkeit, die sich damit zufriedengibt, immerhin keinen Mord begangen zu haben. Beides ist beherzigenswert. Aber beides steht nicht da. Da steht: böses Wort = Mord, mit der Konsequenz irdischer Hinrichtung und höllischer Verdammnis. Das ist das Ende: das Ende jeder Rechtsordnung, das Ende unsrer selbst, das Ende jeder Hoffnung. Denn bei solcher Auslegung des Gesetzes vom Sinai (Ex 20,13) ist jeder als Mörder zu behandeln. Denn jeder, der die Worte hört, ist betroffen – mehr als einmal habe ich meinen Nächsten verwünscht. Daß es hier also nicht um Ethik geht, macht die Fortsetzung (Mt 5,27 f.) klar: Begehrlicher Blick = Ehebruch! Auch auf dem Einbruch des Mannes in die Ehe des andern stand die Todesstrafe – für beide Beteiligten (Lev 20,10; Dtn 22,22–27). Auch hier: jeder geschlechtsreife Mann ist betroffen. Und mit gräßlicher Ironie wird hinzugefügt (Mt 5,29 f.): Versuch's doch, dem zu entgehen! Reiß dir das rechte Auge aus, wenn es dich zu solchen Blicken verführt! Hack die Hand ab, die zugreifen will, wo sie nicht soll! – Als ob dadurch die andere Hand und das andere Auge frei würde von der Begehrlichkeit! Also: gerade wenn einer radikal verführe, würde er erkennen, daß er in der Begegnung mit diesem Wort ans Ende aller Möglichkeiten gekommen ist. – So ist es unausweichlich: Wer Jesu Wort stehen läßt, muß sich gegen dieses Wort wenden, und damit gegen Jesus selbst. Er steht auf der Seite derer, die Jesu Tod fordern. – Ich kann keinen Leser zwingen, hier eine Pause zu machen. Aber ich bitte ihn, sich der Frage auszusetzen: Kann einer Jesus verstehen, der ihn nicht gehaßt hat?

Hören wir noch einmal auf Jesu Wort: Ihr habt gehört, daß zu den Alten gesagt ist: „Du sollst nicht töten; wer aber tötet, der soll des Gerichts schuldig sein." Ich aber sage euch: Wer mit seinem Bruder zürnt, der ist des Gerichts schuldig; wer aber zu seinem Bruder sagt: Du Nichtsnutz! der ist des Hohen Rats schuldig; wer aber sagt: Du gottloser Narr! der ist des höllischen Feuers schuldig (Luther). Fordert Jesus einen dementsprechenden Strafvollzug mit der Hinrichtung aller Lieblosen und Begehrlichen? Droht er? Stellt er sittliche Forderungen? Und wie steht es mit dir selbst, Jesus? Was ist das, wenn du die Pharisäer und schriftgelehrten Theologen „Narren" nennst und „Blinde" (Mt 23,17) und den eigenen Jünger „Satan" (Mt 16,23)? Woher kennst du den begehrlichen Blick, wenn nicht auch aus eigener Erfahrung? Was also sollen wir anfangen mit deinem Wort? Keine Antwort, Jesus schweigt. Er sprach, wie so oft, auch hier in Rätseln. Die Hörer müssen die Lösung selber finden.

Vieles von dem eben Gesagten bedarf ausführlicherer Darlegung. Manches wird in den folgenden Abschnitten wieder aufgegriffen werden. Worauf es zunächst ankam, war die Einsicht, daß es nicht genügt, danach zu fragen, was der Text sagen wolle. Diese Frage ist vielmehr zu ergänzen und zu vertiefen durch die andere: Was *geschieht* im Text? Dürfen wir, von der Trinitätslehre ermutigt, den Text als Ereignis des GEISTES wahrnehmen, so dürfen und müssen wir auch fragen: Inwiefern ist er Schöpfungsgeschehen, in dem der Schöpfer und das Leben erscheinen; Auferstehungsgeschehen, in dem Jesus offenbar wird als der Sohn des Schöpfers? Inwiefern wird durch ihn unsere Wirklichkeit wirklicher?

2. Wahrnehmen, wie die Sprache des Neuen Testaments dem Beten entspringt

Vor Jesu Wort kommt Jesu Schweigen. Darum will der Evangelist, daß wir Jesu Wort vom Berge hören als Wort aus vierzigtägigem Fasten und Schweigen in der Wüste (Mt 3,16 – 4,2). Matthäus wußte, was das ist: Wüste und Fasten. Jesus setzte sich der Einsamkeit aus zum Beten (vgl. Mt 6,6; 26,39). Wir sollen sein Wort hören als Wort, das seinem Beten entspringt. Nur der Beter kann beten lehren (Mt 6,5–15). Auch der Evangelist ist ein Beter. Die Entstehung des Evangeliums ist vom Gebet der Gemeinde begleitet ebenso wie die Entstehung eines apostolischen Briefes. Jesus und seine Jünger kannten und sprachen die täglichen Gebete des Juden. Auf ihre Weise waren auch die Christen aus den Heiden von Kind an im Beten unterwiesen worden. Wir brauchen nicht alles aufzuzählen. Es liegt vor Augen: Die Worte der Schrift sind, bevor sie aufs Papier kamen, durch das Gebet gegangen. Bei jedem Text, mit dem wir uns beschäftigen, dürfen wir daher auch erwägen: Wie lautete das Gebet, dem dieser Text entsprang? Worum hat der Schreiber gebetet im Blick auf sich, im Blick auf die, für die er schrieb? Und so sehe ich Jesus vor mir in jener Stunde, da ihm die Sonne aufging: „Vater im Himmel, Du läßt Deine Sonne aufgehen über die Bösen und über die Guten!"

Wie oft betet Jesus unter freiem Himmel (Mt 14,23;

19,13; 26,36ff.; Mk 1,35 usw.). Wie der Talmud bis heute jeden Juden anweist, so war wohl schon Jesus angewiesen worden, beim Tischgebet auf die Gaben zu blicken, für die er dankte[28] (vgl. aber Mt 14,19). Die Christen der Antike beteten mit ausgebreiteten Armen und nach oben gekehrten Handflächen. Wie schön: Beten unter offenem Himmel, mit offenen Augen und offenen Armen und Händen!

Mit Beten meine ich hier aber nicht nur die Praxis regelmäßigen Gebets. Ich meine damit auch die Einstellung, die im Gebet sich ausspricht. Es ist eine andere Einstellung als die des homo faber, des Machers. Der Macher ist fixiert auf die Frage: Was muß und kann ich tun, verändern, verbessern? Die Hände des Beters ruhen (Jochen Klepper, EKG 351). Sie sind wie die Blätter der Pflanzen dem Licht des Himmels zugewandt. In dieser betenden Haltung läßt Jesus die Sonne des Vaters sein, was sie ist.

Sein lassen – ist dies das treffende Wort für die Einstellung des Betenden? Die Sonne Sonne und den Regen Regen, die Nacht Nacht und den Tag Tag, das Werk Werk und die Ruhe Ruhe sein lassen und so fort durch alle Kreaturen? Am Ende dieses Abschnitts werde ich auf diese Frage zurückkommen. Zuvor bedarf es noch einiger Bedenkzeit.

Zunächst: Wie Armut und Verfolgung, so ist auch Beten für viele zum Fremdwort geworden. Doch noch können wir an uns selbst erfahren, wie das Gebet die Sprache ändert. Wir brauchen nur die wenigen Worte langsam nachzusprechen, die Jesus uns vorgebetet hat, und dabei die Menschen in dies Gebet einzusetzen, mit denen wir es zu tun haben. Etwa so: Vater unser – Vater derer, die zu dir beten, und Vater derer, die nichts von dir wissen (wollen); meiner Freunde und meiner Feinde (und hier nenne der Beter Namen!); Du – Gott und Vater der andern! Diesen Deinen Namen laß mich heilig halten, Vater der Bösen und der Guten! Dann kommt es nicht mehr darauf an, daß ich recht behalte oder daß der andere recht behält, sondern darauf kommt es an, daß Du recht behältst, daß Dein Reich komme und Dein Wille geschehe; daß Deine so verschiedenen Kinder eins das andre als Bruder annehmen, als Dein Kind gelten lassen und so Dich ehren, den Vater aller! – Gib den Hungernden das tägliche Brot, und so laß es auch mich empfangen. Vergib meinem Nächsten die Schuld (und wieder nenne sie der Beter beim Namen) – und so vergib sie auch mir. Stelle den andern nicht auf die härteste Probe des Glaubens – ich denke an die Menschen in den Lagern; an Andersdenkende, die man wie Irre behandelt; an die Gefolterten – und so bewahre auch mich vor der Stunde, in der ich an Dir verzweifle und Dir fluche. Erlöse uns vielmehr von der furchtbaren Macht des Bösen – erlöse die Verfolger von Wahn, von Angst, von Haß; bewahre die Herzen vor der Brutalität und so rette auch mich, damit wir alle zusammen uns Deines Reiches und Deiner Kraft und Deiner Herrlichkeit ungetrübt freuen. – Wird es spürbar, wie anders wir miteinander und übereinander reden würden, wenn unsere Worte durch dieses Gebet hindurchgegangen wären? Wie würde die Welt aussehen, wenn auch nur alle Christen an einem einzigen Tag dies Gebet mit Ernst beteten? – Unsere Sprache verrät uns. Ich habe das oft gemerkt während meiner Tätigkeit als Pfarrer. Wenn Hörer verletzt worden waren durch den falschen Ton und das falsche Wort in der Predigt, so mußte ich mir oft eingestehen, daß die betreffenden Sätze der Predigt nicht durch mein Beten gegangen waren. Das ist das eine. Und das andere ist: Wir lernen durch das Beten hören, hören auf die guten Worte anderer, die nicht verletzen, sondern heilen, die ermutigen, entkrampfen, entgiften, treffen und erhellen.

Mag unser eigenes Beten auch kümmerlich sein. An uns ist es zunächst nur, wahrzunehmen, wie in diesem Sinne die Worte des Neuen Testaments dem Beten entspringen, sie als Frucht des Betens Christi und der Christen zu empfangen. Dieses Beten hatte sein Maß am Vaterunser. So öffnet uns Jesu Gebet auch die Schrift. Und wir sehen: In der Sprache, die durch das Gebet Jesu gegangen ist, werden Wahrheit und Liebe eins (vgl. Eph 4,15); wo die Schuld beim Namen genannt und ins Licht der Vergebung gerückt wird. Während es sonst heißen muß: Weh dem, der zu der Wahrheit kommt durch Schuld / sie wird ihm nimmermehr erfreulich sein" (Friedrich Schiller, Das verschleierte Bild zu Sais), heißt es hier: „die Liebe freut sich nicht über das Unrecht, sondern freut sich an der Wahrheit" (1 Kor 13,6 – E). Die Sprache, die dem Gebet Jesu entspringt, ist die Sprache der Liebe.

Sprache der Liebe – ist denn jenes Wort Jesu „wer zu seinem Bruder sagt: Du gottloser Narr! der ist des höllischen Feuers schuldig" (Mt 5,22) ein Wort der Liebe? Das Wort, das mich verdammt, ein Wort der Liebe? Wir hatten gesehen, wie dieses Wort unseren Widerstand wecken muß (oben S. 81 ff.). Warum aber spricht Jesus aus, was diesen Widerstand weckt? Den Widerstand, der ihn das Leben kostet? Ich denke: Weil er nicht anders kann. Weil der Himmel sich auftat über ihm (Mt 3,16), muß er aussprechen – aus-, zu Ende sprechen –, was er im Lichte des Himmels sieht. So, wie ein Kind weinen muß, wenn ihm etwas weh tut, und jauchzen, wenn es sich freut. Würde ich dem Kinde sagen „jauchz' nicht so laut, freu dich still!", so würde ich seine Freude zerstören. So ist auch bei Jesus beides untrennbar eines: die Erfahrung des Lichts und das Leuchtenlassen dieses Lichts. Es kann die Stadt, die auf einem Berg liegt, nicht verborgen sein (Mt 5,14). Keiner zündet zuerst ein Licht an, um hernach einen Topf darüber zu stülpen (vgl. Mt 5,15). Diesem Muß folgt Jesus und läßt leuchten, was leuchten will. Das kann im Neuen Testament sein Gehorsam heißen (Phil 2,8). Ein bloß moralisches Verständnis dieses Wortes müssen wir freilich fernhalten; Jesus ist nicht der Musterknabe Gottes. Das rechte Verständnis dessen, was hier Gehorsam heißt, zeigt uns der Evangelist Johannes in einem einfachen Bild: Jesus ist wie der Bub, der seinem Vater bei der Arbeit im Stall, in der Werkstatt oder auf dem Felde zusieht. Und so, wie er es den Vater machen sieht, so macht es der Bub. Da bedarf es keiner besonderen Gebote. Sondern, was der Sohn sieht den Vater tun, das tut gleicherweise auch der Sohn (Joh 5,19). Und tut es mit Freude!

Doch jetzt erst recht: Was ist Erfreuliches daran, wenn ich für ein häßliches Wort dem Bruder gegenüber zur Hölle fahren muß? Kann sich einer über die eigene Verdammnis freuen? Wir spüren: jetzt entscheidet es sich. Lasse ich stehen, was dasteht, und richte den Blick auf mich selber, dann muß ich entweder verzweifeln oder das Wort zum Verstummen bringen. Oder aber ich hebe den Blick und schaue auf ihn, der das Wort spricht. Ruft er die Polizei? Schichtet er den Scheiterhaufen? Er nimmt den Widerstand gegen die Wahrheit des Lichts auf sich. *Er* stirbt, nicht ich. Das Kreuz ist das Siegel auf Jesu Wort. Dieses Wort wird uns gereicht nicht als Sammlung von Sprüchen Jesu, sondern als Evangelium, als Geschichte des Weges Jesu. Das heißt: *Wir haben Jesu Wort zu hören als Wort des Gekreuzigten, als Wort vom Kreuz her.* „Wer zu seinem Bruder sagt: Du Nichtsnutz!, der ist des Hohen Rats schuldig" – „die Hohenpriester aber und der ganze Hohe Rat sprachen: Er ist des Todes schuldig" (Mt 5,22; 26,59.66). Das gehört zusammen. Und jetzt mögen wir zu ahnen beginnen: Jesu Wort spiegelt das Licht der reinen Liebe. In diesem Licht wird alles zunichte, was nicht Liebe ist. In diesem Licht ist klar: für die Nichtliebe ist in Gott keine Zukunft. Wir aber wollen nicht nichts sein. Darum wehren wir uns gegen die reine Liebe. Dieser Widerstand ist Jesu Kreuz und Leiden. Indem Er das Licht leuchten läßt, werden wir offenbar als Feinde des Lichts. Ich elender Mensch! Wer wird mich erlösen von mir selbst als Feind des Lichts? Ich danke Gott durch Jesus Christus, unsern HERRN (vgl. Röm 7,14f.).

Von diesem abgründigen Geschehen spricht Jesus in den beiden großen Gleichnissen von den Arbeitern im Weinberg (Mt 20,1–15) und den verlorenen Söhnen (Lk 15,11–32)[29]. Bitte lesen Sie beide Texte, bevor Sie hier weiterlesen! – Moralisch und pädagogisch gesehen müssen beide Erzählungen unseren entschiedenen Widerspruch wecken. Die fleißigen Arbeiter fühlen sich zu Recht in ihrer Ehre verletzt. Der Weinbergbesitzer hätte sich ihren empörten Widerstand ersparen können. Er brauchte nur den Ersten den vereinbarten Lohn auszuzahlen und sie gehen zu lassen und danach den Letzten zu sagen: „Der euch zustehende Lohn beträgt ein

Zwölftel Denar; doch ich weiß, auch ihr habt Frau und Kinder zu Haus, die darauf warten, daß der Vater Brot bringt für alle, darum gebe ich euch als freiwillige Unterstützung, was zum vollen Taglohn fehlt." So hätte der Besitzer nicht die besten Leute zu seinen bittersten Feinden gemacht. – Und ähnlich in der andern Geschichte: Der Vater hätte eingehen sollen auf den ursprünglichen Vorschlag des verlotterten Säutreibers: „Gut, ich nehm dich wieder auf und gebe dir Gelegenheit, dich zu bewähren; lerne zuerst mit meinen Taglöhnern zusammen wieder ehrlich arbeiten, dann ist noch nicht alles verloren!" Hätte der Vater so gesagt, dann hätte er das Vertrauen seines Ältesten nicht so furchtbar überfordert; dann hätte sich die Liebe dieses Ältesten zum Vater nicht in Haß verwandelt! Warum gleich ein Fest, groß wie eine Hochzeit, törichter Vater? Warum die Tüchtigen so unnötig provozieren, guter Mann?

Unnötig? – fragt Jesus vom Kreuze her und sieht mich an. – Und da weiß ich auf beide Fragen nur eine Antwort. Die will leise gesagt sein: Weil beide, der Weinbergbesitzer wie der Vater, *allen* ihre *ganze* Güte und ganze Liebe zeigen wollten. Wollten? Für den Vater muß man wohl sagen: zeigen mußte. Wie das Kind, das uns vorhin zum Gleichnis wurde, seine ganze Freude zeigen muß. Von Ernst Fuchs habe ich gelernt: in beiden Gleichnissen spricht Jesus von sich selbst[30].

Jesus weiß – seine Geschichten zeigen es –, daß wir der Güte und Liebe, so wie er sie leuchten läßt, nicht gewachsen sind. Er weiß, daß das Aufgehen des Lichts unseren Widerstand gegen das Licht notwendig zur Folge hat. Jesus, warum machst du uns arme, schwache Menschen zu Feinden der Liebe und des Lichts? Er antwortet: Ich muß wirken die Werke des, der mich gesandt hat, solange es Tag ist; es kommt die Nacht, da niemand wirken kann (Joh 9, 4). Weil die Stunde seines Wirkens vergeht, muß Jesus jetzt das Licht ganz leuchten lassen – obschon diesem Licht niemand gewachsen sein kann und er sich die Besten so zu Feinden macht (die Besten waren damals die Pharisäer, vgl. oben

S. 61). Was hat diese grenzenlose Überforderung mit Liebe zu tun? Liebe ist das nur unter einem einzigen Gesichtspunkt: So wie der Weinbergbesitzer und der Vater im Gleichnis ihren Nächsten ihre ganze Güte und Liebe sehen lassen, so enthält Jesus uns nichts vor von dem, was ihm der Vater offenbarte. Uneingeschränkt läßt er das Licht des Vaters leuchten.

In diesem Licht erkenne ich: Ich bin nicht der, der sich an der Güte freut und am Leben des verlorenen Bruders. Ich bin des Reiches Gottes nicht fähig, des Todes schuldig, der Erlösung und Verwandlung bedürftig.

Das ist die schwerste Arbeit: den fleißigen Arbeiter, den treuen Sohn, den vorbildlich Handelnden (Lk 18,9–14) seiner Erlösungsbedürftigkeit inne werden zu lassen. Und das ist die schwierigste Lektion: „Es ist doch unser Tun umsonst, auch in dem besten Leben" (Martin Luther, EKG 195[31]).

Wie geht Jesus mit uns Feinden des Lichts und der Liebe um? So wie der Weinbergbesitzer, so wie der Vater: beide machen die Empörten nicht moralisch fertig. Sie geben keine Vorwürfe zurück. Behutsam versuchen sie, den tief Verletzten die Augen zu öffnen mit einer leisen, bittenden Frage: „Unrecht?", sagt der eine, „könnte es nicht Güte sein?" – Und noch leiser der alte Vater, der hinausgegangen war, den großen Sohn zu bitten: „Dein Bruder war doch tot und ist wieder lebendig geworden; war verloren und ist wiedergefunden; du solltest dich mitfreuen." – Freude! Auf diesen Ton ist Jesus gestimmt. Indem er Anteil gibt an seiner Freude, opfert er sich. Siehe, das ist Gottes Lamm, das der Welt Sünde trägt (Joh 1,29).

Wir waren ausgegangen vom Beten. Jetzt können wir sagen: Beten ist das Bleiben im Licht. Gott GOTT sein lassen. Das ist Jesu letztes Wort im Kampf mit dem Satan: Du sollst anbeten Gott, deinen Herrn, und ihm allein dienen (Mt 4,10). Dieses Dienen übt Jesus so, daß er bei denen bleibt, die in Gottes Licht offenbar werden als der Hölle verfallen, der Erlösung bedürftig. So läßt er Gott GOTT sein: den Vater seiner Nächsten. So tritt Jesus für uns ein (Röm 8,34).

Das in der Heiligen Schrift aufleuchtende Licht werden wir also kaum wahrgenommen haben, solange uns ihre Texte nicht tief problematisch geworden sind. Das Problematische zeigt sich, wenn wir stehen lassen, was da steht. Das gilt für Jesu Worte: keine Mutter darf darauf verzichten, für den andern Morgen und weit darüber hinaus vorzusorgen (gegen Mt 6,34). Das gilt für die „Wunder" Jesu: ein Blinder kann lernen, sich in sein Schicksal zu ergeben. Aber fast unerträglich schwer wird diese Ergebung, wenn da oder dort ein Blinder geheilt wird und für den Blinden keine Chance besteht, den Heiler zu erreichen. Ist es erfreulich, wenn einer vom irdischen Tod zurückgeholt und der Not des Sterbens ein zweites Mal ausgeliefert wird? Dies gilt für Grundentscheidungen, die mit dem Christentum gefallen sind: War es richtig, das Bundeszeichen der Beschneidung, die an die Heiligkeit des Lebens gemahnende Schächtung, die Feier des Sabbats preiszugeben? War es richtig, die griechischen Götter zu verteufeln (vgl. Friedrich Schiller, Die Götter Griechenlands)? Dies gilt bis hin zu der Frage: Ist nicht das Christentum der Welt zum Verhängnis geworden? In Japan, so las ich einmal, nennen sie die Atombombe „the christian bomb" – die christliche Bombe. – *Erst wenn wir spüren, es geht um Tod und Leben, erst dann sind wir beim Text.*

An den einfachen Sachverhalt, daß die Texte des Neuen Testaments dem Beten entspringen, habe ich darum erinnert, weil die Texte, mit denen wir es heute normalerweise zu tun haben, aus einem andern Ursprung kommen. Paulus dagegen kann von sich sagen, er spreche aus Gott, vor Gott in Christus (2 Kor 2,17). Er ist mit seiner Existenz offen für Gott, ein Fenster gleichsam, durch welches er das Licht einfallen läßt in die Welt, das im gekreuzigten Jesus aufleuchtet (2 Kor 4,6). Dieses Sich-offen-Halten ist mit Beten gemeint. Und als dem Paulus von andern Christen bestritten wurde, ein rechter, ja überhaupt ein Apostel zu sein, da stellte er die Gegenfrage: Bin ich in Wort, Tat, Leben und Leiden durchsichtig auf den Gekreuzigten hin? Prüfet selbst! (1 Kor 1,26 bis 2,5; 2 Kor 1,8–14; 4,1–6.13; 11–12).

Was aus dem Gebet kam, will letztlich wieder Gebet werden. In der protestantischen Theologie versteht man die biblischen Texte oft in erster Linie als Predigttexte. Doch die Predigt ist kein Endzweck. Das Licht des Wortes soll leuchten, damit viele den Vater im Himmel loben (Mt 5,16; 2 Kor 9,11–15). – Wir sprachen eben von den Aposteln und ihren Texten als von Fenstern, durch welche das Licht einfällt. Mit demselben Wort hat man auch das Wesen der Ikonen (Bilder) in der orthodoxen Kirche beschrieben[32]. Sie sind nicht Abbildungen des Heiligen, sondern Öffnungen für das Licht. Und das Malen der Ikone ist eine Weise des Gebets, die ihrerseits zur Anbetung hilft. Ähnlich geht die orthodoxe Kirche mit dem Wort der Schrift um. Dieses Wort wird dort nicht nur und nicht in erster Linie zur Predigt, sondern es wird – so zu sagen – zum anbetenden Hymnus. So zum Beispiel am Abend des Karfreitag die Geschichte von der Grablegung Jesu[33] (Mt 27,57–60 parr.):

Der Du Dich mit Licht umkleidest
wie mit einem Gewand,
Dich nahm Josef vom Kreuz mit Nikodemus.
Und da er Dich tot, nackt und unbestattet erblickte,
brach er in mitleiderfülltes Wehklagen aus
und sprach unter Tränen:
„Weh mir, süßester Jesus!
Als Dich kurz zuvor die Sonne am Kreuz hangen sah,
umhüllte sie sich mit Finsternis.
Die Erde erbebte vor Furcht,
und der Vorhang des Tempels zerriß.
Jetzt aber schaue ich Dich,
der Du freiwillig für mich den Tod erlitten hast.
Wie soll ich Dich bestatten mein Gott,
wie Dich mit Linnen umhüllen?
Mit welchen Händen soll ich Deinen völlig reinen

Leib berühren,
welche Lieder zu Deinem Hinschied singen,
o Barmherziger?"
Ich preise Deine Leiden,
besinge auch Dein Begräbnis und die Auferstehung,
indem ich rufe:
„Herr, Ehre sei Dir!"

3. Die Zeit des Neuen Testaments
und ihre Zeichen erkennen

Wenn von der Zeit des Neuen Testaments die Rede ist, dann denken wohl die meisten an jene rund 150 Jahre vom Auftreten Johannes des Täufers um 28 n. Chr. bis zur Entstehung der vermutlich spätesten Schriften des Neuen Testaments, dem Judas- und dem 2. Petrusbrief in der zweiten Hälfte des zweiten Jahrhunderts. Im Folgenden soll aber in einem andern Sinne von der Zeit des Neuen Testaments die Rede sein, nämlich im Sinne der Stunde Jesu. So wie wir im Blick auf einen Menschen sagen: das ist seine Stunde. Wir meinen damit jene Situation, in welcher die besonderen Befähigungen dieses Menschen ans Licht treten können; die Stunde, in der herauskommt, wer der Betreffende in Wahrheit ist. Die Stunde Jesu, das ist also die Zeit, die Jesus gehört; in welcher Er in seiner Wahrheit hervortritt; die Er erfüllt und bestimmt. Wir knüpfen dazu am vorigen Abschnitt an.

Wer vom Licht getroffen war, wie z. B. Paulus, der bat um die Taufe (Apg 9, 1–19). Photismós konnte sie darum heißen, „Lichtung" (vgl. Hebr 6, 4; 10, 32). Die Schriften des Neuen Testaments sind sämtlich oder zumindest in der überwiegenden Mehrzahl für Menschen geschrieben, die als Erwachsene getauft worden waren. Für sie alle war die Taufe die Stunde der Wende.

Wie Neugeborene der liebevollen Pflege und Ernährung bedürfen, so die Neugetauften der geistlichen Speise, zunächst der Milch, später der festen Nahrung (1 Kor 3,1f.; Hebr 5,13; 1 Petr 2,2). Wer je mit Neubekehrten zu tun hatte, der weiß, welch geduldigen Geleits sie bedürfen. Wie viel mehr gilt das in einer nichtchristlichen Welt, wo die Taufe eine Art Aussteigen bedeutete aus der normalen Gesellschaft und den Anschluß an eine vielen befremdliche Minderheit. Das Neue Testament ist um die Taufe herum geschrieben (Ernst Fuchs), es ist Taufgeleit.

Wie wurde die Taufe vollzogen? Lesen Sie jetzt bitte Apg 8,26–39! Lukas kann sich das also etwa so vorstellen: Der Finanzminister der Königin der Äthiopier läßt seinen Wagen halten und steigt mit Philippus herab. Die beiden Männer gehen zum nahen Fluß hinunter. Sie werden niederknien und beten (das steht nicht im Text; Lukas brauchte es nicht zu schreiben; jeder seiner Leser wußte ja, wie die Taufe vollzogen wird). Dann legt der Minister seine Kleider ab – und mit den Kleidern alles, was er in der Welt an Ansehen besitzt. Auch die Spuren seiner Entmannung werden sichtbar (vgl. Lev 22,24). In jener Nacktheit steht er da, die wir fürchten – wir alle, die wir uns keine Blöße geben wollen. Wir wollen nicht nackt dastehen, weder vor Menschen, noch vor Gott (2 Kor 5,1–4). Der also nackt Gewordene läßt sich von Philippus an die Hand nehmen und ins Wasser führen. Und wie es zuvor Philippus selbst widerfahren war, so fühlt jetzt der Äthiopier die Hand des andern auf seinem Kopfe und hört die Worte „ich taufe (tauche) dich in den Namen Jesu Christi", und läßt sich hinunterdrücken ins Wasser, als solle er ertränkt werden, und darf sich wieder erheben, zurückkehren ins Leben und zum Licht. – Fand eine Taufe im Beisein von Gemeindegliedern statt, dann wurden den Neugetauften wohl auch weiße Kleider angelegt, Abbild des himmlischen Kleides der lichten Unschuld (vgl. Mt 17,2; Apg 1,10; Offb 3,4f.; 6,11; 7,9–17).

Der so Getaufte gehörte der neuen Zeit an. Altes war vergangen, Neues geworden (2 Kor 5,17). Jener Zeit, der die Zukunft gehört: nach der es keine noch neuere Zeit geben wird; der Zeit, die niemals überholt werden wird. Sie heißt im Neuen

Testament darum auch „ewiges Leben" oder „Reich Gottes".
Neben dieser neuen Zeit gibt es noch die alte Zeit, die keine
Zukunft hat, die vergehen muß und vergeht. Die alte Zeit kann
„Finsternis" heißen. Das also ist die Zeit des Neuen Testaments: Die Finsternis vergeht, und schon leuchtet das wahre
Licht (1 Joh 2, 8 – E). Es ist die Zeit des frühen Morgens: Zeit,
aufzustehen vom Schlaf (Röm 13, 11). Das Evangelium ist Zeit-
ansage, Glockenschlag der neuen Stunde. Wie denn das? Die
alte Welt steht doch noch; wo ist denn das Licht des neuen Tages? Freilich, antwortet das Neue Testament, dunkel ist es
noch, und vielen fällt es schwer, aufzustehen, solange es noch
Nacht ist. Aber sieh, der Morgenstern steht am Himmel, die
Nacht ist so gut wie vergangen, der Morgen ist nah. Jesus ist
der Morgenstern (Offb 22, 16). Er ist das Zeichen der Zeit, an
dem der Täufling sich orientiert. Orientieren heißt, sich dem
Orient, dem Osten zuwenden, dem aufgehenden Licht. Wie
schön leuchtet der Morgenstern (GL 554 – EKG 48)! So sind
die Getauften Kinder des aufgehenden Lichts und zugehörig
dem heraufkommenden, neuen Tage (1 Thess 5, 5). Morgen-
frühe, Frühlingszeit – auf diesen Ton ist das Neue Testament
gestimmt. Am ersten Tag der Woche, am Sonntag, da Gott
das Licht erschuf, in der Zeit vor Sonnenaufgang feierten die
Christen Gottesdienst, in der Stunde des Ostermorgens (vgl.
2 Kor 4, 6; Mk 16, 2).

„Zeit des Neuen Testaments" meint hier nicht einen Abschnitt auf der Zeitlinie der Chronologie, sondern es meint
inhaltlich neu bestimmte Zeit. So, wie wir sagen, es sei Zeit
zu: Zeit zum Schlafengehen, zum Aufstehen, zum Arbeiten,
zum Ruhen; Zeit zum Säen, Zeit zum Ernten usw. (Koh 3).
So wollen die neutestamentlichen Schriften nach ihrem Zeit-
verständnis gefragt werden (Ernst Fuchs): Was ist jetzt an
der Zeit? Wie ist jetzt mit der Zeit umzugehen? Zwei der
wichtigsten Wörter im Neuen Testament sind daher die
Wörter *nun* und *jetzt* (vgl. Röm 3, 21; 6, 22; 7, 6; 1 Kor 15, 20;
Eph 2, 13; Hebr 9, 26 usw.). Deshalb ist es verfehlt, wenn
man das Wesen des Christlichen zu erfassen sucht mit Hilfe
der Frage, was am Heidentum oder am Pharisäismus falsch,

oder worin das Christentum jenen überlegen sei. An ihnen ist so wenig falsch wie am Kindsein des Kindes etwas falsch ist. Wenn aber die Zeit erfüllt ist, sagt Paulus, dann ist das Kind kein Kind mehr, sondern mündiger Mann und Erbe des Vaters (vgl. Gal 4, 1–7; 1 Kor 13, 11).

Fassungslos fragen die Leute Jesus: Warum fasten deine Jünger nicht? – wo doch die Pharisäer fasten und die Jünger Johannes des Täufers fasten! Jesus antwortet mit einer Gegenfrage: Habt ihr schon eine Hochzeit erlebt, bei der gefastet wird (vgl. Mk 2, 18 f.)? Fasten, trauern, schweigen für den Frieden angesichts des Verbrechens der Aufhäufung von Vernichtungspotentialen in aller Welt, angesichts der Gottesfinsternis über der Erde – oder essen, sich der Gaben des Himmels freuen, der Jugend, der Liebe, wie bei einer Hochzeit? Was ist an der Zeit? Kann für uns heute etwas anderes gelten als der gellende Bußruf des Täufers? Denn dem Baum unseres Lebens ist ja nun wahrhaftig in jedem Sinne des Worts die Axt an die Wurzel gelegt (vgl. Mt 3, 10). Was ist an der Zeit? Jesus weint, weil Jerusalem nicht erkannt hat, was an der Zeit war (Lk 19, 41–44). Denn *Jesu Stunde ist die Zeit SEINER offenbaren Nähe.* Und – das ist das Wunder der Wunder – dieser Nähe sollen Jesu Hörer sich freuen. Nähe Gottes: jetzt ist es leicht, IHN zu erkennen und leicht, IHN vor Freude zu lieben. Leicht – nicht billig! Lukas spricht einmal von der Anmut der Worte Jesu (Lk 4, 22). Und in der Tat: in wieviel Worten Jesu klingt er, dieser unverwechselbare Ton göttlicher Heiterkeit! Friedrich Hölderlin hat ihn gehört, als er von Jesus sagte:

> denn nie genug
> Hatt er von Güte zu sagen
> Der Worte, damals, und zu erheitern, da
> Er's sahe, das Zürnen der Welt.
> Denn alles ist gut. Drauf starb er. Vieles wäre
> Zu sagen davon. Und es sahn ihn, wie er siegend blickte,
> den Freudigsten die Freunde noch zuletzt.
> (Patmos)

Auch wir können diesen wunderbaren Ton vernehmen, wenn wir Jesus ruhig zuhören, gesammelt und entspannt, wie guter Musik. Ich will versuchen, diesen Ton hören zu lassen in der Geschichte vom Sämann:

Unsere Großväter wußten es noch: Saatzeit ist Tränenzeit (Ps 127). Die Vorräte gehen zur Neige und die Ernte ist weit. Wie oft mußten sie sich das Korn zur Saat buchstäblich vom Munde absparen: hungern, um nicht zu verhungern. „Nein, Kinder, ich kann euch kein Brot backen." – Aber wir haben doch noch Korn! – „Das braucht Vater zum Säen!" – So kennen es die Säleute aller Zeiten. So kannten es auch Jesus und seine Hörer. (Der Undankbare von heute vergißt es; der Dankbare hält es sich gegenwärtig.) So geht der Sämann aus. Im Saattuch trägt er das Kostbarste, was er hat, den „edlen Samen" (Luther[34]). Ein Priester kann nicht andächtiger sein bei seinem Tun als dieser Sämann, wie er da bedächtigen Schrittes über den Acker geht, mit sorgsamstem Wurf den Samen streut. Jedes Zuviel, jedes Zuwenig wird sich bitter rächen! Also: „Höret zu", beginnt Jesus, „es ging ein Sämann aus zu säen" (Mk 4,3). – Halt, paß auf, sieh hinter dich! Merkst du nicht, die Vögel picken dir die Hälfte weg! – Der Sämann tut, als höre er nicht, geht und mit großer, ruhiger Bewegung wirft er den Samen aus. – Doch nicht dahin! Da schaun ja die Steine aus dem Boden! Wie soll da etwas wachsen! – Der Sämann scheint taub zu sein. Das gutgemeinte Geschrei verleitet ihn zu keiner falschen Bewegung. – Nein so was! Jetzt wirft er die Samen unter die Dornsträucher! Was soll aus solcher Säerei nur werden?! – Der Sämann läßt sich nicht beirren. Und jeder Bauer, der Jesus zuhört, schmunzelt und nickt: so ist es recht! So muß man's machen. Beim Säen darfst du nicht nach rechts schauen und nicht nach links. Und lacht über das dumme Gezeter vom Ackerrand. Denn der Bauer ist seiner Sache gewiß: wer sät, wird ernten – trotz Vögeln, Felsen und feindseligem Gestrüpp. Gewiß: die Ernte fällt unterschiedlich aus. Aber noch nie haben Erde und Himmel getrogen. Der Bauer weiß: „es wuchs durch / Hände der Menschen allein die Frucht nicht"

(Hölderlin, Mein Eigentum). Eben darum ist er seines Tuns völlig gewiß. – So weit Jesus (Mk 4, 3–9). Nun schweigt er. Sie sehen ihn an. Er hat kein Saattuch umgebunden. Er hat keinen Acker. Aber aus seinem Wort strahlt jene ruhige Gewißheit, von der er erzählt. Ist auch er ein Sämann? Was ist sein Acker? Was sein Korn? – Ach, nach den Vögeln braucht man nicht lang zu suchen: Wie viele erreichst du überhaupt mit deinem Wort? Und was bleibt bei ihnen hängen davon? Und nach deinem Tode? Einwände über Einwände – heute gegen das Tun Jesu, morgen gegen das seiner Jünger (vgl. Mk 4, 14–20). Kümmern sie dich nicht, die vielen Einwände? Jesus: Hört! Sieh auf den Sämann! Sieh auf dich selbst! Hast du selbst dich je abbringen lassen davon, den Samen auszustreuen eben so, wie ich es beschrieb? – „Nie!" – Also! – *So macht Jesus seine* bäuerlichen Hörer in ihrem Alltag zu nichts weniger als *zum Gleichnis des Himmelreiches,* zum Gleichnis Gottes. So, wie sie sind, sind sie SEIN Gleichnis. Denn göttliches Werk auch gleichet dem unsern (Hölderlin, Patmos). Und nichts ist leichter als ihre Entscheidung für Gott. Diese Entscheidung besteht in dem einen Wort: Es ist, wie du sagst, Jesus!

So nahe kommt ER. Näher als unsre Nächsten uns sind; näher, als wir selbst uns sind. Die Frau, die ihr Geldstück verloren hat; den Fischer, der die gefangenen Fische sortiert; den Vater, der seinem Kind ein Stück Brot reicht und dem Nachbarn zu essen für dessen späten Gast; die Witwe, die mit ihrem nerventötenden Gequengel den Richter erweicht, und den Spitzbuben, der sich aus der Affäre zieht wie der Zundelfrieder in Johann Peter Hebels Kalendergeschichten – sie alle macht Jesus zum Gleichnis Seiner Nähe (Mt 13, 47 f.; Lk 11, 5–8; 15, 8–10; 16, 1–8; 18, 1–8). Die sogenannte Wirklichkeit verliert durch die Macht seines heiteren Wortes ihr Bleigewicht. Sein Joch ist sanft und seine Last ist leicht (Mt 11, 30).

Weil ER „so freundlich und nah" ist (Gerhard Tersteegen, GL 144 = EKG 33), darum ist es für Jesus Zeit, die Kinder Abrahams zu sammeln wie die Henne die Küchlein sammelt, wie die Mutter all ihre Kinder um den Tisch vereint sehen will (vgl. Mt 23,37). Darum bittet Jesus seine Nächsten: laßt sie zu mir kommen – die Kinder, die Kranken, die Schuldigen. So einfach macht Jesus die Entscheidung für IHN; wehrt ihnen nicht, laßt sie; sieh Güte als Güte an; freu dich mit. Ja, er macht sie noch leichter. Er sagt zur Frau: Du gehst hin, wenn die Nachbarin dich zum Kaffee einlädt aus Freude darüber, daß sie das verloren geglaubte Geld wiedergefunden hat? – Natürlich! – Dann hast du Gott schon verstanden, bist schon auf Seiner Seite, der sich geretteten Lebens freut!

Die Zeit der Nähe Gottes, das ist *Zeit zur Freude am Leben* – dem verlorenen und wiedergefundenen Leben: Freude an der Lebendigkeit des Lebens neben mir; Freude an Kindern, Blumen und Vögeln; Freude an Sonne und Regen, an Himmel und Erde; Freude an der Güte, an der Versöhnung, an der Heilung und Rettung des Nächsten. Mit einem Wort: Freude am Guten, *Freude an GOTT*. Die Einwände gegen diese Freude – Jesus kennt sie. Und er trägt sie als sein Kreuz. Aber er bleibt im Licht der Freude Gottes. So wird er selbst zum Gegenstand der Freude: Jesu, meine Freude (EKG 293)! Die Zeit des Neuen Testaments: das ist die Zeit der lebendigen Herzen (Ez 11,19), des neuen Bundes (Jer 31,31–34), der erneuerten Freude an der Schöpfung und am Schöpfer – im Namen des gekreuzigten Jesus. Gegen die Freude gibt es keinen Einwand (Ernst Fuchs). Die Zeit der Freude an Gott ist unüberbietbar, „ewig".

Diese Zeit des Neuen Testaments ist die Stunde Jesu. Die Stunde also, in welcher ans Licht tritt, wer Jesus in Wahrheit ist, die Stunde, in der die Geschöpfe durch ihn dem Vater danken. Es ist die österliche Stunde, in der Jesus entdeckt wird als Schatz und Perle, als Sonne und Licht, Weg und Wahrheit, als unverlierbarer Gegenstand unserer Freude und der Liebe des Vaters. Diese Entdeckung kann Glaube heißen oder Nachfolge oder Liebe. Bewirken kann diese Entdeckung niemand. Es kann nur heißen: Da es aber Gott wohlgefiel, daß er seinen Sohn offenbarte in mir … (Gal 1,15 f.).

Entdeckungen wollen öffentlich werden. So wie die Entdeckung des verborgenen Schatzes öffentlich wird, wenn der glückliche Finder alles verkauft, was er hat und den Acker kauft (Mt 13,44), so wird die Entdeckung Jesu öffentlich in der Feier der Taufe. Die *Taufe* ist so ein Zeichen der Stunde Jesu. Die Taufe hat Bedeutung also nicht nur für die Gemeinde und den Täufling, sondern vor allem für Jesus. Von seinem Namen wird ja in ihr Gebrauch gemacht! Nach nichts anderem haben Täufer und Gemeinde hier zu fragen als danach, ob es dem Willen Gottes und dem Wesen Jesu entspreche, daß vom Namen Jesu Gebrauch gemacht werde zugunsten dieses Täuflings; ob es Recht sei, in Jesu Namen Gott in Anspruch zu nehmen für dieses Geschöpf. Die Taufe ist also ein Stück des wahren Lebens Jesu, des Lebens, das er in den Glaubenden führt. Mit anderen Worten: läßt sich unser Taufen verstehen als ein Akt der Liebe zum Lobe Gottes, so dürfen wir taufen. So will die Taufe Teil sein jener Zeit des neuen Bundes, in der zur Freude Gottes alle Kreatur sich freut an Jesus seinem Sohn (Phil 2,10f.).

Ob wir der Zeit des Neuen Testaments nah oder fern sind, hängt also nicht ab von unserem chronologischen Abstand zum ersten Jahrhundert unserer Zeitrechnung. Die historisch-kritischen wissenschaftlichen Annäherungsversuche an das Neue Testament zwingen ja fast zu dem Gedanken, als entfernten wir uns mit den Jahren immer weiter von ihm. Dieser Gedanke liegt aber den Schriften des Neuen Testaments völlig fern. Dort ist ganz im Gegenteil davon die Rede, daß die Glaubenden sich dem Tag Jesu nähern: unser Heil ist jetzt näher, denn da wir gläubig wurden (Röm 13,11).

Deswegen liest man auch in populären Darstellungen heute oft, die Urchristenheit habe in der *Naherwartung* gelebt. Mit diesem unschönen Begriff hat sich ein böses Mißverständnis verbunden, auf das hier kurz einzugehen ist. – Wenn von Naherwartung die Rede ist, so denkt man an Stellen wie 1 Thess 4,15. Paulus schreibt dort:

Wir, die Lebenden,
die übrig bleiben bis zur Ankunft des HERRN
(im Unterschied zu den bereits verstorbenen Christen),
werden den Verstorbenen gegenüber keinen Vorteil haben.
Denn der HERR selbst wird vom Himmel herabkommen,
wenn der Befehl ergeht,
der Erzengel ruft
und die Fanfare Gottes erschallt.
Zuerst werden die in Christus Verstorbenen auferstehen;
dann werden wir, die Lebenden, die noch übrig sind,
zugleich mit ihnen auf den Wolken in die Luft entrückt,
dem HERRN entgegen.
Dann werden wir immer beim HERRN sein.

Das Mißverständnis, das sich mit dem Begriff Naherwartung verbindet, ist dies: die Nähe Gottes wird hier als Nähe auf der Zeitlinie verstanden. Es ist aber leicht zu sehen, daß diese Übertragung der Nähe auf die Zeitlinie etwas Nachgeordnetes ist. Beispiel: Die bevorstehende Ankunft meiner Braut ist nur insofern etwas mein Leben (positiv) Bestimmendes, als sie mir zuvor im Wesen nahe ist. Auf diese Nähe im Wesen kommt es an. Sie verändert das Wesen auch des zeitlichen und räumlichen Abstands. So ist es auch im Neuen Testament. Das Erste und Eigentliche ist, daß Gott in seiner Freundlichkeit uns nahe kam und Menschen dieser Nähe inne wurden. Wo ER nahe kommt, da ist uns damit auch das Ende unserer selbstherrlich gemachten Dinge nahe. Wir sehen: wir als Sünder haben keine Zukunft. Zukunft hat allein der Christus. Das Wesen des Evangeliums von der Nähe des Reiches ist völlig verkannt, wenn eine chronologisch gemeinte Erwartung vom nahen Ende der Welt zum beherrschenden Gesichtspunkt des Urchristentums gemacht wird. Am besten vermeidet man den Begriff überhaupt. Denn er ist an und für sich genommen leer. Er erinnert nicht daran, wer denn hier wen oder was in naher Zukunft und mit welchen Gefühlen erwartet. Für den Glauben ist das Ende der Welt immer nah, so wie dem Besonnenen der Tod seiner Nächsten und seiner selbst immer nahe ist. In beiden Fällen aber intensiviert diese Nähe die Aufmerksamkeit im Wahrnehmen der Gegenwart!

Natürlich wecken besondere Ereignisse das manchmal abgestumpfte Empfinden für die Vergänglichkeit der Zeit: Wie kann eine Welt Bestand haben, in der Jesus gekreuzigt und die Seinen verfolgt werden? Wie sollte das schauerliche Ende Jerusalems im Jahre 70 n. Chr. nicht der Anfang vom Ende sein? Daher ist bei allen Stellen im Neuen Testament, die besonders die zeitliche Nähe des Endes aussprechen, zu erwägen, ob und in welchem Zusammenhang sie mit den genannten Ereignissen stehen. Damit ist nichts wegpsychologisiert. Denn der Abgrund ist nah. Von Jesus selbst aber geht völlige Ruhe aus. Auch Paulus geht besonnen an sein apostolisches Werk. Daß und wie beides zusammengeht, die Einsicht in das nahe Ende unserer Welt und der liebevoll-ruhige Dienst an der Zukunft, kann man z. B. an Luther studieren. Luther war je länger desto mehr davon überzeugt, daß die Geschichte der Menschheit bald zu Ende gehe. Das las er aber nicht an Kometen, Verbrechen oder weltlich-politischen Mißständen ab. Sondern: „Mir grauet vor der Undankbarkeit!" Eine Welt, der Gott das Licht des Evangeliums neu aufgehen ließ und die für dieses Licht blind und undankbar blieb – diese Welt konnte keine Zukunft haben. Luther empfand das in einer uns kaum zugänglichen Tiefe. So verkürzte sich dem Blick seines Glaubens die Spanne irdischer Zukunft. Derselbe Luther aber legte mit seiner Übersetzung der Bibel, mit seiner Theologie, mit seinen Liedern, Katechismen, Gottesdienstordnungen Fundamente für Jahrhunderte. Und jenes berühmte ihm zugeschriebene (aber bis heute in seinen Werken nirgends nachgewiesene) Wort trifft nicht nur Luthers Haltung, sondern die Wahrheit selbst: Wenn ich wüßte, daß morgen die Welt unterginge, würde ich heute mein Apfelbäumchen pflanzen. – Wo der Gott Jesu nahe ist, ist er nahe als der Gott des Lebens. Wie sollte Seine Nähe das Geschaffene vergleichgültigen? Wie kann es dem Glauben um „Entweltlichung" gehen, wie R. Bultmann meinte?

Wie sollte er uns die Schöpfung nicht vielmehr tiefer und tiefer wahrnehmen und würdigen lassen?

4. Den Ort des Neuen Testaments wahrnehmen

Alles hat seine Zeit (Koh 3). Und alles hat seinen Ort. Wo etwas in seinem Wesen erscheint, da hat dieses Erscheinen auch seinen Ort. So wie wir sagen: der rechte Mann / die rechte Frau am rechten Platz zur rechten Zeit. Damit meinen wir ein Ereignis, bei dem herauskommt, was in Wahrheit in einem Menschen steckt. Zugleich meinen wir damit, daß dieser Mensch die Situation erhellt oder gar wendet. Was hier zusammenkommt, läßt sich nicht sauber auseinanderdividieren: ohne die besondere Situation käme der betreffende Mensch in seiner besonderen Art nicht voll zum Zuge; ohne das Dazutreten dieses Menschen fiele kein Licht auf die Situation. So hat auch das Neue Testament seinen Ort, wo es in seinem Element ist. Dazu möchte ich mit diesem Buch ja beitragen: zur Wiedereinsetzung des Neuen Testaments in sein Element – so wie man einen Fisch dem Wasser, einen Vogel der freien Luft zurückgibt als ihrem Element. Sowenig es also genügt, die Zeit des Neuen Testaments historisch-chronologisch zu bestimmen, so wenig genügt es, seinen Ort geographisch (oder – neuerdings – soziologisch) zu beschreiben (so nützlich beides auch ist).

Wenn ich sage: der Ort des Neuen Testaments, so denke ich an das Wort Christi: Wo zwei oder drei versammelt sind in meinem Namen, da bin ich mitten unter ihnen (Mt 28,20). Also: So wie ein großer Dirigent als solcher nur zusammen mit seinem Orchester wahrgenommen werden kann; wie das Wesen einer Mutter nur dort sich zeigt, wo sie zusammen mit ihren Kindern sich zeigt, so kann das Wesen Jesu nur zusammen mit den Seinen aufleuchten. Das ist der Ort des Neuen Testaments.

Ich betone das deshalb, weil immer wieder versucht wird, herauszukriegen, wer Jesus „wirklich" war, indem man ihn von den Seinen isoliert. Dieser Versuch kommt mir vor, wie wenn sich ein Interviewer ein Bild von einem Bauern machen wollte durch ein Gespräch in der guten Stube. Aber ein rechter Bauer führt seinen Besuch durch die Ställe und übers Feld, und dabei merkt der Gast, mit wem er es zu tun hat. Jesus kennen und haben wollen ohne die Seinen, das ist, wie wenn einer die Mutter haben wollte ohne ihre Kinder. Der Ort des Neuen Testaments ist da, wo Jesus lebt unter den Seinen: die Gemeinde, der Leib Christi, die Kirche. Wir müssen uns dabei nur vor unseren Vorurteilen hüten, als wüßten wir schon, was das ist: die Kirche. Der HERR sagt aber: ihr habt mich nicht erwählt, sondern ich habe euch erwählt (Joh 15,16)!

Vielleicht das schönste Wort für diesen Ort des Neuen Testaments ist *Leib Christi* (1 Kor 12,27; vgl. Gal 3,26–28). Paulus meint das wörtlich, nicht nur bildlich: Leib ist Leben. Wie die Mutter lebt im Leben der Kinder, wie der Dirigent lebt im Musizieren des Orchesters, so lebt Jesus in der Gemeinde als in seinem Leibe. Das Leben, das Er da lebt, kann Paulus mit drei Worten beschreiben: Gerechtigkeit, Friede, Freude (Röm 14,17). Gerechtigkeit: alles wird allem gerecht; und so kann jegliches in seiner Art gedeihen (Friede), und darin ist eins des andern Freude. Das Leben Jesu in der Gemeinde ist nichts Über- und noch weniger etwas Widernatürliches. Es ist das gottgeschaffene Leben, wie jeder es an seinem eigenen Körper wahrnehmen kann (1 Kor 12,12–31). Nie genug zu bewundern ist das Zusammenspiel des Körpers. Dies Zusammenspiel – so sagt Paulus – erfordert etwas Einfaches: eins muß hier das andre sein lassen, was es ist: das Auge Auge, den Fuß Fuß, den Magen Magen usw. Paulus blickt auf das Zusammenleben von Menschen sehr verschiedener Art und Herkunft in der von ihm gegründeten Gemeinde. Wenn er von dieser Gemeinde als dem Leib Christi spricht, dann lebt dieser Leib so, daß hier einer den andern immer tiefer wahrnimmt in seinem Anderssein und in seiner Eigen-Art und sich freut, wie jedes jedem zum Leben dient (1 Kor 12,1–11). So wird hier das Leben zu sich selbst befreit, so daß Leben sich des Lebens des andern freut. So geschieht der Wille des Schöpfers. Darum heißt der Ort des Neuen Testaments auch der Tempel Gottes (1 Kor 3,16f.; 2 Kor 6,16; vgl. 1 Petr 2,5f.), der Ort, an dem Gott geehrt wird dadurch, daß sein Schöpferwille geschieht. Kirche ist also für Paulus ursprüngliches Leben, „neue Kreatur" (2 Kor 5,17). Auf manche wirkt dieses ursprüngliche Leben bedrohlich – so wie alles Lebendige dem Starren gefährlich ist. So ist es mit dem Evangelium: den einen stinkt es nach Verwesung, die andern riechen frische Lebensluft (vgl. 2 Kor 2,16).

Es ist daher eine besonders schöne Aufgabe für den Bibelleser, zu beobachten, wie sich das Leben in den Gemeinden aufrichtet. Das einfachste Beispiel dafür sind *die neutestamentlichen Heilungsgeschichten.* Zu den Gaben, die in der Gemeinde lebendig sind, gehört auch die, gesund zu machen (1 Kor 12,9). Das Urchristentum war auch eine Heilungsbewegung. Es gab ja damals kein dem unsrigen vergleichbares Gesundheitssystem. Einen Arzt konnte sich nur leisten, wer ihn bezahlen konnte. Mancher wurde darüber arm – und doch nicht gesund (Mk 5,26). Die Mehrzahl aber lebte praktisch in einer Welt fast ohne Arzt. In dieser Welt achtet man im guten wie im schlechten Sinn auf nicht-medizinische Möglichkeiten der Heilung. Wenn nun der Glaube wirklich etwas zu tun hat mit Gerechtigkeit, Friede und Freude, dann ist sofort deutlich: dieser Glaube tut dem Menschen gut bis tief ins Leibliche hinein. In dieser urchristlichen Heilungsbewegung wurden die neutestamentlichen Heilungsgeschichten erzählt. Diese Geschichten mußten bei den Kranken und ihren Angehörigen, die sie vernahmen, die größten Hoffnungen wecken. Und umgekehrt: diese Geschichten mußten tiefe Enttäuschung bewirken, wenn in ihnen nichts anderes gesagt sein wollte, als daß in vergangenen Zeiten an fernen Orten Jesus und die Apostel mit einer Heilkraft begnadet waren, die in der Gegenwart freilich leider erloschen ist. Nein! Diese Heilungsgeschichten können nur weitergegeben worden sein im Vertrauen auf die gegenwärtige Heilkraft des Glaubens und in der Erfahrung dieser Kraft.

Mich macht es traurig, wenn bis heute jene Texte, die von der Heilung von Menschen erzählen, vorwiegend als intellektuelle Probleme betrachtet werden – als ob es darum ginge, ob ich an Wunder glauben müsse oder nicht, ob diese Wunder naturwissenschaftlich gesehen möglich seien oder nicht. Es macht mich traurig, wenn diese Geschichten dann oft nichts weiter sein sollen als ein Ausdruck für eine theologische Richtigkeit. Dabei ist doch deutlich: die Leiden, von denen da die Rede ist, die gibt es heute und die gab es damals in den Familien und in der Nachbarschaft der urchristlichen Gemeinden; den ekelhaften Aussatz; die zum Bettel verurteilende Blindheit; den Blutfluß, der eine Frau sich selbst und jedem Mann zum Abscheu macht; Lähmung, Fallsucht und all die Formen schrecklicher Besessenheit, wo der Mensch nicht mehr ansprechbar, seiner selbst nicht mächtig ist. – So wenig der HERR alle Kranken in seiner Nähe heilte, so wenig geschieht und geschah dies in der Gemeinde. Aber das Licht, das in Jesus auf die Kranken fiel, dieses Licht läßt auch die Gemeinde hell auf ihre Leidenden fallen. „ER heilt dich, Jesus Christus; steh auf!" (Apg 9,34 N) – das muß zu den Grunderfahrungen der Urchristenheit gehört haben. Ekel und Ohnmachtsgefühle überwinden und die Kranken besuchen (Mt 25,36), ihnen die Hände auflegen, sie sakramental salben, über ihnen beten und den heilbringenden Namen Jesu über ihnen ausrufen – das gehört in die Mitte des Auftrags Jesu und in die Mitte des Lebens der Gemeinde (Mk 16,18; Mt 10,8; Mk 6,13; Lk 9,2; Jak 5,13–15). Daß wir uns mit diesen Geschichten schwer tun, ist in der Hauptsache eine Folge der Schöpfungsvergessenheit westlicher Theologie, die hier als Leibvergessenheit auftritt. Da wir unsere Kranken nicht zum Gottesdienst einladen, so üben wir uns auch nicht im Naheliegendsten: diese Texte zu lesen zusammen mit den Kranken, mit ihren Augen und denen ihrer Angehörigen. Freilich: dabei werden wir in Kämpfe verwikkelt werden, vor denen wir uns mit Recht fürchten. Ich werde später auf eine solche Kampfgeschichte zu sprechen kommen (siehe S. 125–127).

In ähnlicher Weise kann man Entdeckungen machen unter dem Gesichtspunkt: *das Urchristentum als Frauenbewegung.* Welch bedeutsame Rolle die Frauen gerade auch in den Gemeinden des in diesem Punkt manchmal verdächtigten Paulus gespielt haben, sieht man in Römer 16: Unter den achtundzwanzig von Paulus namentlich oder doch einzeln genannten Gemeindegliedern (wahrscheinlich der Gemeinde in Ephesus) sind mindestens acht Frauen, wozu vielleicht als neunte Junias als weiblicher Apostel kommt[35]. In den Evangelien: Frauen harren als letzte bei der Kreuzigung Jesu aus, gehen als erste zum Grabe, werden als erste der Auferstehungsbotschaft gewürdigt. Frauen treten insbesondere im Werk des Lukas auf: Elisabeth, Maria, die Prophetin Hanna; die Mutter des jungen Mannes in Nain (7,11ff.), die stadtbekannte Dirne (7,36ff.), die Jesus finanziell unterstützenden Frauen (8,1–3), Maria und Marta (10,38ff.), die gekrümmte Frau (13,10ff.), die Witwe am Opferstock (21,1ff.). In der Apostelgeschichte: Maria (1,14), Saphira (5,1ff.), die Witwen in Jerusalem (6,1), um Jesu willen ins Gefängnis geworfene Frauen (8,3), Lydia und die Frauen in Philippi (16,13–15), die Prophetinnen in Cäsarea (21,9) und manche andere. – Und wie oft nimmt Jesus die Frau zum Gleichnis: die Frau am Backtrog (Mt 13,33), an Spinnrad und Webstuhl (Mt 6,28f.), bei der Suche nach dem verlorenen Geldstück (Lk 15,8–10), die Witwe beim Richter (Lk 18,1–8) und die Mädchen beim Hochzeitsfest (Mt 25,1–13)!

Und wiederum ließen sich Entdeckungen machen, wenn man dem nachgeht, wie Sklaven sich aufrichten unter dem Evangelium – wie Pflanzen sich aufrichten unter erquickendem Regen. (Vgl. meine Auslegung des Philemonbriefes aaO. [S. 10] S. 97–107). So kann Paulus sagen, daß in der Gemeinde Juden und Griechen, Sklaven und Freie, Männer und Frauen lebendig eins sind (Gal 3,26–28), und bittet sie, daß eins das andre in seiner Andersartigkeit (nicht bloß passiv toleriere, sondern aktiv) annehme und so den Vater ehre, der der Vater aller seiner Kinder sein will (Röm 15,7). Und man versteht, daß Paulus sich nicht als Agitator Gottes begreift, sondern das Wirken der Apostel vergleicht mit dem liebevoll-sorgfältigen Tun des Gärtners (1 Kor 3,6–9).

So wie die Zeit des Neuen Testaments Frühlingszeit ist, so ist sein Ort die Stätte, wo das Darniederliegende sich aufrichtet, der Ort des Aufatmens, Aufblickens, Aufgehens – mit einem Wort: neuen erfrischten Lebens, neuer Schöpfung.

Dieses Leben hat natürlich Vorrang vor jedweder Schriftlichkeit. Das Neue Testament als Buch ist ein winziger Ausschnitt aus diesem erneuerten Leben. Sein Sinn ist, Augen zu öffnen, damit sie sehen, und Ohren, daß sie hören. Diese geöffneten Augen sollen Gottes Werke schauen, ja, IHN selbst (Mt 5,8). Wir müssen die Schrift sein lassen, was sie von Anfang an war: ein Notbehelf. So wie eine gute Ehe wenig Schriftliches hervorbringt, eine zerbrechende aber sehr viel, so sind die neutestamentlichen Schriften meist der Not entsprungen: hätte es in Korinth keine Probleme oder hätte es dort an Ort und Stelle einen zweiten Paulus gegeben, wir besäßen keine Korintherbriefe. Hätte Paulus nicht damit rechnen müssen, daß auch bei den Christen in Rom Mißtrauen gegen ihn besteht – er hätte den Römerbrief nicht oder doch nicht in dieser Länge zu schreiben brauchen. Hätte es nicht Unsicherheit und Verwirrung gegeben über das wahre Bild Jesu – wir besäßen keine Evangelien. Jede Schrift des Neuen Testaments kennt eine Not, deretwegen sie notwendig wurde[36]. – Umgekehrt: Gerechtigkeit, Friede und Freude in den Gemeinden haben weniger schriftliche Spuren hinterlassen als jene Nöte.

Der Platz der Bibel in der Alten Kirche war vor allem die Versammlung der Gemeinde. Dort am Versammlungsort wurde sie aufbewahrt, dort wurde sie vorgelesen und ausgelegt. Zugang zu ihr hatte wohl in erster Linie der Gemeindeleiter (Ortsbischof). Mit der Zeit gab es auch eine wachsende Zahl von Gemeindegliedern, die einzelne biblische Schriften besaßen und privatim lasen. Aber auf der anderen Seite ist zu bedenken, daß es ganze Kirchen – z. B. die Kirche Galliens – gab, die nicht einmal eine Übersetzung der Bibel in die einheimische Sprache besaßen, und das Jahrhunderte lang! Immer und überall gab es mehr oder weniger zahlreiche Christen, die nicht lesen und schreiben konnten. Sollten das die schlechteren Christen sein? Ist eine ordentliche Schulbildung die Voraussetzung für den Einzug ins Himmelreich? Ist der Sinn des Evangeliums die Intellektualisierung der Menschheit? Haben wir noch ein Gespür für die Gefahr der Bibelvergötzung? Jedenfalls: die Bibel ist von Haus aus kein privates Erbauungsbuch. Es hat seine Richtigkeit, wenn die Bibel von Anfang an bis heute in erster Linie in der Hand derer ist, die ihre Texte ins Leben einzusetzen hatten: Geschichten wollen nicht stumm gelesen, sondern erzählt, Gebete gebetet, Lieder gesungen, Bekenntnisse bekannt werden. Der Name Jesu will gebraucht und Gott als GOTT gepriesen werden. Die Bibel ist im Leben der Gemeinde in ihrem Element; dort, wo einer für den andern nach dem guten Wort sucht. Da wird jeder seiner eigenen Armut inne: Was haben wir einander schon zu sagen, das der Rede wirklich wert ist? – Wer aus solcher Armut heraus in der Schrift nach dem Wort für den Bruder sucht, der wird finden.

Es mag hilfreich sein, zum Schluß an Folgendes zu erinnern: Man könnte sich ein völlig anderes Buch der Kirche vorstellen als das Neue Testament. Nämlich eine Art vollkommener Kirchenordnung, Liturgie und Katechismus, also eine Darstellung der reinen Kirche und der reinen Lehre. Man wird nicht genug bedenken können und danach auch nicht genugsam dafür danken, daß dem nicht so ist, sondern daß die Kirche ein Bündel sehr verschiedenartiger Urkunden bewahrt, ein lebendiges Stück des neuen Lebens.

IV.
Die Ehre Gottes

1. Gott als GOTT ehren

Der Ort des Neuen Testaments ist, so hatten wir gesagt, die Gemeinde. In der Gemeinde sieht Paulus den wahren Tempel des wahren Gottes (1 Kor 3,10–17). Tempel werden errichtet zur Ehre Gottes. Auch für Paulus „ist der letzte Sinn des menschlichen Tuns der Lobpreis Gottes" (Rudolf Bultmann[37]). Der Gott, den Paulus meint, ist der Schöpfer Himmels und der Erden. Nur auf dieses Eine kommt es an, und in diesem Einen ist alles beschlossen: daß Gott als GOTT geehrt werde von aller Kreatur. So schreibt Paulus am Anfang des Römerbriefs (1,21) über die heidnischen (Noch-)Nichtchristen:

> Sie haben Gott erkannt,
> IHN aber nicht als GOTT geehrt
> und IHM nicht gedankt.

Gott GOTT sein lassen, daß Gott sei alles in allem – das ist das Ziel (1 Kor 15,28). Von Jesus ist im Neuen Testament darum die Rede, weil es in Jesus um Gottes Ehre geht. Davon abgesehen ist Jesus für die Urchristenheit nichts. Ein Christentum ohne Gott (Ernst Bloch[38]) kann sich auf das Neue Testament nicht berufen.

Zunächst möchte ich an zwei Beispielen zeigen, wie Paulus Gottes Ehre im Alltag seiner Gemeinde geltend macht und wie er den Gemeindegliedern hilft, Gott im Alltag zu ehren.

Das erste Beispiel: Eine christliche Hausfrau (oder ein dito Hausmann) in der Hafenstadt Korinth geht auf den Markt, um Fleisch zu kaufen für die Ihren (bzw. die Seinen). Sie weiß: das Fleisch, das hier verkauft wird, hat normalerweise teilgenommen an einem heidnischen Gottesdienst, es stammt von einem Götteropfer. Den Göttern aber, denen da geopfert wird, hat die Frau bei ihrer Taufe abgeschworen. Sie hat sich von ihnen, die zwar mächtige Mächte sind, aber den Namen Gottes nicht verdienen, abgewandt und hingewandt zu dem einen, lebendigen Gott (1 Thess 1,9). Früher hat sie dies Fleisch gekauft. Und wenn sie eine fromme Frau war, dann war es ihr wichtig gewesen, daß sie nun durch den Genuß dieses Fleisches auch zu Hause noch am Gottesdienst teilnahm. Vielleicht hatte sie ein Gefühl dafür, daß der Mensch, wenn er ein Tier tötet, eine Grenze übertritt, die er eigentlich nicht übertreten dürfte. Und es mag ihr ein Trost gewesen sein, daß der Priester das Tabu im Gottesdienst verletzt hatte mit Furcht und Zittern, den Gott um Gnade bittend. – Wie will, wer die heidnische Religion nicht ernst zu nehmen vermag, den Ernst verstehen, mit dem die Urchristenheit ihre Nächsten von den Göttern zu Gott bekehrte? – Aber nun ist die Frau jenem Gottesdienst entfremdet. Was soll sie tun? Soll sie nach einem jüdischen Metzger fahnden, der ihr koscheres Fleisch verkauft (vgl. Apg 15,20!)? Soll sie den Händler fragen, ob es Opferfleisch ist oder nicht? Soll sie das Fleischessen ganz aufgeben? Aber: ihr Mann ist vielleicht kein Christ. Soll es wegen ihrer christlichen Skrupel zur Scheidung kommen? Und was dann? So kauft sie – aber mit schlechtem Gewissen. Und deshalb wird das Problem bei der nächsten Zusammenkunft der Christen in Korinth besprochen. Die einen sagen so, die andern anders. Ein klärendes Wort, das alle überzeugt, findet keiner. So wird die Sache in den Katalog der Fragen aufgenommen, die man Paulus demnächst schriftlich vorlegen will.

Es wäre schön, wenn Sie, lieber Leser, sich vor dem Weiterlesen überlegten, was Sie selbst hier geantwortet hätten. – Und Paulus? Seine Antwort (1 Kor 10,23–26) ist einigermaßen überraschend: „Alles, was auf dem Fleischmarkt verkauft wird, das esset; und forscht nicht nach (woher das Fleisch kommt) – wegen des Gewissens!" (V. 25). Also keine Rede davon, den Marktgang zu einem weithin sichtbaren Zeichen christlichen Bekennens zu machen und als Gelegenheit zur Mission zu nutzen. Keine Parallele zu Bonifatius, der den Germanen verbot, Pferdefleisch zu essen, weil die das doch mit ihrem Wotan in Verbindung bringen würden. Als ob sich durch die Taufe nichts geändert hätte, sagt Paulus: Ihr könnt alles essen wie die Heiden und sollt keine Nachforschungen anstellen. Und zwar wegen des Gewissens. – Was meinst du damit, Paulus? Antwort: „Denn dem HERRN gehört die Erde und was sie füllt." So fängt der 24. Psalm an. Paulus kann ihn natürlich auswendig. So steht ihm auch die Fortsetzung vor Augen, vermutlich in der Fassung der griechischen Übersetzung (der Septuaginta). Sie lautet auf deutsch:

Des HERRN ist die Erde und ihre Fülle,
    der Erdkreis und alle, die auf ihm wohnen.
ER hat über Meeren ihn (sicher) gegründet
    und über Strömen ihn befestigt.
Wer wird hinaufziehn zum Berg des HERRN
    und wer wird stehn an Seiner heiligen Statt?
Wer schuldlose Hände hat und reines Herzens ist,
    wer nie den Sinn auf Täuschung richtet
    und nicht betrügerisch schwört wider seinen Nächsten.
Der wird Segen empfangen vom HERRN
    und Barmherzigkeit von Gott, seinem Heiland.
Das ist das Geschlecht derer, die IHN suchen,
    die suchen das Antlitz des Gottes Jakobs.

Vor diesem HERRN, sagt Paulus den Korinthern, steht auch die Hausfrau auf dem Fleischmarkt. ER ist gegenwärtig. Und alles, was du dort siehst, ist sein. Wie kannst du dich – in Seiner Gegenwart! – erkundigen wollen nach der Herkunft des Fleisches?! Auch wenn du es um Geld kaufst, du empfängst es doch von IHM. An keinem andern soll dein

Gewissen orientiert sein. „Der Glaube ist Gottesfurcht – das sagt dir dein Gewissen" (Ernst Fuchs). – Wir sehen: Paulus betreibt weder Entmythologisierung noch Profanierung. Er sagt nicht: Wo das Fleisch herkommt, ist doch gleichgültig, das ist doch kein Problem. Sondern umgekehrt: Früher hast du das Fleisch gegessen als heiliges Opferfleisch. Doch erst jetzt heiligst du es in Wahrheit als SEIN Eigentum, als Seine Gabe. Paulus spricht aus der Nähe Gottes (2 Kor 2,17). Seine Antwort auf die Frage aus Korinth gibt er in einem Wort der Heiligen Schrift, das heißt so, daß alle in Korinth sie akzeptieren können, auch wenn sie Vorbehalte gegen den Apostel haben sollten.

Beispiel zwei (1 Kor 10,27–31): Ein Christ wird – vielleicht von einem Geschäftsfreund – zum Essen ins Tempelrestaurant oder nach Hause eingeladen. Die Korinther fragen Paulus nicht, ob man einer solchen Einladung überhaupt folgen dürfe. Sie gehen davon aus: man darf. Kein Glied einer Familie, kein Berufstätiger, kein Sklave kann sich vollkommen von seiner Umgebung isolieren. Paulus hatte keinen zum Verlassen desjenigen Ortes aufgefordert, an den ihn sein Leben in Familie und Beruf gestellt hatte. Im Gegenteil (vgl. 1 Kor 7,17–24)! Aber wie verhalte ich mich bei jener Einladung nun als Christ? Alle Miteingeladenen wissen ja, daß ich einer bin. Vielleicht ist sogar ein Mitchrist dabei. Man wird auf uns blicken. Paulus antwortet wie vorhin: „Esset alles, was euch vorgesetzt wird; stellt keine Nachforschungen an!" Die Begründung ist dieselbe und wird daher von Paulus nicht wiederholt: auch dort im heidnischen Haus, ja selbst im Tempelrestaurant seid ihr vor Gott und empfangt, was ihr esset, aus der Hand dessen, dem die Erde gehört und alles, was darinnen ist.

Aber wenn der Gastgeber seinen christlichen Gast reizen oder aus Taktgefühl ihn schonen will und sagt: Dieses Fleisch, das der Sklave jetzt herumreicht, stammt vom heutigen Apollonopfer! – was dann? Paulus: Dann iß nicht! – Gilt denn nun nicht mehr, was du eben sagtest, Paulus? Soll ich nun die Gegenwart des Schöpfers verleugnen? – Nein. Aber du mußt überlegen, was du dem Gewissen deines Gastgebers schuldig bist; du hast sein Gottesverhältnis mitzubedenken. Ob er dich nun in guter oder böser Absicht auf dein Christsein hin angesprochen hat – deine Antwort muß in Wort und Verhalten sinngemäß so lauten:

> Wiewohl welche sind, die Götter genannt werden,
> es sei im Himmel oder auf Erden,
> wie es ja viele Götter und viele Herren gibt,
> so haben *wir* doch nur *einen* Gott,
> den Vater, von welchem alle Dinge sind
> und wir zu ihm;
> und *einen* Herrn, Jesus Christus,
> durch welchen alle Dinge sind
> und wir durch ihn
> (1 Kor 8,5 f.).

Denn: Wenn du trotz seines Hinweises einfach essen würdest, so könnte jener das nur so verstehen, daß du entweder gegen deine Überzeugung handelst oder daß dir der Unterschied zwischen dem Gott, auf dessen Namen du getauft bist, und den Göttern, von denen du dich abgewandt hast, dann nicht mehr wichtig ist, wenn ein leckerer Braten lockt. Also kannst du ihm in dieser Situation die Gegenwart Gottes nur durch Nichtessen bezeugen. – Sollte aber der Hinweis darauf, daß es sich hier um Opferfleisch handle, von einem miteingeladenen Christen stammen, dann ist der nahe Gott der Gott deines Bruders und heißt dich, ihn nichts zu verführen, was er nur mit schlechtem Gewissen tun könnte. – Die Gefahr einer Diktatur der ängstlichen Gewissen in der Gemeinde ist weder von Paulus gemeint, noch mit seinen Worten gegeben. Denn das einfache Kriterium bleibt ja unverrückt bestehen: Kann ich Gott danken für das, was ich genieße? Wenn ja, dann braucht sich meine Dankbarkeit vor niemand und vor nichts zu verstecken (1 Kor 10,29 f.). Hier sind beide Worte ganz ernst zu nehmen: *Gott* und *danken.* Also: Kann ich dem Gott danken, der alles geschaffen hat? Das heißt: Kann sich mein Dank vor der ganzen Schöpfung hören lassen? (Modernes Beispiel: Einer freut sich, daß er sich endlich seinen Wunsch nach einem schweren Motorrad erfüllen konnte – aber die Kranken, denen er mit seinem Lärm körperlichen Schmerz zufügt, können in diesen Dank nur schwer einstimmen; von den überfahrenen Igeln, der verpesteten Luft, den Sorgen der Mutter und den Gefahren für die Sozia zu schweigen.) Kann der Dank des Essers sich hören lassen auch vor dem Kälbchen, dessen Fleisch er eben verspeist? vor denen, die Hunger haben? – Paulus schließt (V. 31):

> Ihr esset nun oder trinket,
> oder was ihr tut,
> so tut es alles zu Gottes Ehre!

Alles zu Gottes Ehre, was ihr auch tut: essen, trinken, schlafen, wachen, arbeiten, ruhen, Steuern zahlen, mit eurer Frau verkehren – alles zur Ehre Gottes. Wie kann das gemeint sein? Sollen wir aus jeder täglichen Verrichtung bis zum Gang aufs WC einen religiösen Akt machen? Die Frage ist nicht einfach zu verneinen. Es bleibt mir unvergeßlich, wie ich vor Jahren auf dem Bauernhof half zur Erntezeit. Der Bauer ging mit einem Motormäher aufs Feld. Dort blieb er stehen: „Vor der Ernte beten wir" und faltete die Hände. Ich war völlig überrascht, denn ich hatte ihn für keinen frommen Mann gehalten. Und ebenso beeindruckt es mich, wenn ich im Talmud lese, wie der Jude Gott lobt – für das Gute und für das Böse. Bei Regen: „Tausende und Zehntausende müßten deinen Namen, o unser König, lobpreisen für jeden einzelnen Tropfen (Regen), den du für uns niedergehen läßt; denn du erweisest Wohltaten den Schuldigen." Beim Schlachten: „Gelobt seist Du, Herr, unser Gott, König der Welt, der uns durch seine Gebote geheiligt und uns geboten hat, die Schlachtung (des Viehs) zu vollziehen" (vgl. Gen 9). Und angesichts des Bösen: „David sagte vor dem Heiligen, er sei gepriesen: Ob du gnädig mit mir umgehst – ich singe dir ein Loblied, ob Du nach (striktem) Recht mit mir verfährst – ich singe Dir ein Loblied; so oder so (= in jedem

Fall) will ich Gott ein Loblied singen"[39]. Wie schön und tief war das auch bei uns! Beim Abschied: à dieu, das ist „Gott befohlen"; bei der Heimkehr: Grüß dich Gott! Am Morgen: Das walte Gott; am Abend: Ich befehle mich und alles in Deine Hände! – Paulus meint auch diesen guten Brauch. In seinem Sinne heißt es im 1. Brief an Timotheus 4,4 f.:

Alles, was Gott geschaffen hat, ist gut,
und nichts ist verwerflich, was mit Danksagung empfangen wird;
denn es wird geheiligt durch das Wort Gottes und Gebet.

In diesem guten Brauch geht es darum, Essen und Trinken und alles sein zu lassen, was es ist: des Schöpfers Werk und Gabe. Also das Brot Brot, den Wein Wein, das Wasser Wasser, den Schlaf Schlaf, die Arbeit Arbeit; die Trauer Trauer und die Freude Freude (vgl. Röm 12,15). Spüren wir, wie unsere Art, zu leben, dem gerade entgegengesetzt ist: angefangen vom Zeitunglesen während des Frühstücks bis dahin, daß wir die Alten nicht alt sein und die Sterbenden nicht sterben lassen. Statt daß wir das Seiende sein lassen, ist Veränderung zum Wert an sich geworden. Wer aber auch nur eine Ahnung hat davon, wie unendlich kunstvoll ineinander verwoben das lebendig Gewordene ist, der weiß, wie winzig die Chance ist, hier durch menschlichen Eingriff etwas positiv ändern zu können. Und er wird einen solchen Eingriff nur aus großer Not, nur unter Furcht und Zittern und so behutsam als immer möglich vollziehen. (Es ist ein doppeltes Elend, daß „konservativ" – und das heißt auf deutsch „bewahrend" – bei vielen zum Schimpfwort geworden ist, und daß manche, die sich selbst konservativ nennen, es am wenigsten sind, sondern fast hemmungslos „technischen Fortschritt" propagieren.)

In den wenigen Worten des Apostels an die Christen in Korinth geschieht Weltbewegendes. Aus der Vielzahl einzelner religiöser Akte, die das Leben des frommen Menschen begleiten, erhebt sich hier in völliger Klarheit ein Leben, das durch und durch fromm ist, weil und indem es die Fülle des

Geschaffenen wahr-nimmt. Das Elend der sogenannten Umweltkrise ist das Elend unserer Gottvergessenheit. Die sterbenden Wälder schreien zu Gott. Möge es uns doch wieder weh tun: Wem ist es überhaupt noch möglich, die Nacht als Nacht zu erfahren, den Morgen als Morgen, das Brot und den Tod? Unversöhnbar stehen sich gegenüber die als Motor von „Fortschritt" und „Wachstum" unerläßliche prinzipielle Undankbarkeit und die Dankbarkeit des Glaubens; die Einstellung des Räubers, dem nichts heilig ist, und der Glaube, dem alles heilig ist, was Gott geschaffen hat. „Ohne die Wiederherstellung der Kategorie des Heiligen", sagt der große Hans Jonas[40], kann es keine Zukunft geben. Diese Umkehr zum Leben kann nicht nur „Ehrfurcht vor dem Leben" (Albert Schweitzer[41]) sein, sondern Freude am Leben und andächtiger Umgang mit ihm.

Alles, was wir tun, zur Ehre Gottes tun, kann nicht heißen, alles mit frommen Sprüchen zu etikettieren. Kriegt ein Kind einen Baukasten geschenkt, so ist dem vernünftigen Vater der schönste Dank des Kindes, wenn dieses ganz versunken ist in das Spiel mit den neuen Klötzen. In solchem Versunkensein ehrt das Kind den Vater mehr, als wenn es alle paar Minuten aufspränge, um sich wortreich zu bedanken. So liegt in der Seligkeit des Lebens die Ehre des Schöpfers. Selige Einfalt! Matthäus 5,48 übersetzt man heute am besten wohl so:

> Darum sollt ihr einfältig sein,
> wie euer himmlischer Vater einfältig ist.

Wie schön ist reines Hingegebensein! So wird, recht verstanden, die Schönheit zum Kriterium recht gelebten Lebens – so gewiß das Gefühl für die Würde des täglichen Brotes sich auch ausdrückt in der Gestalt des Mittagstisches! Jene Undankbarkeit nimmt ja bewußt die Häßlichkeit in Kauf; der Entwürdigung und Entheiligung der Arbeit entspricht die Scheußlichkeit der Fabrik. Dagegen – um nur ein Beispiel zu nennen von unzählig vielen –: wie sähen die Türen unserer Häuser aus, wenn wir ein Gefühl dafür hätten, was für geheimnisvolle, wunderbare Vorgänge das sind: Abschied und Heimkehr, Hineingehen in ein Inneres und Herausgehen in das Weite; das Haus als Heimat auch für die Seele des Menschen, als Vorglanz von des Vaters Hause, in dem viele Wohnungen sind (Joh 14,2). So starrt uns in der Häßlichkeit unsere eigene Gottvergessenheit an. In Worten Friedrich Hölderlins (aus „Brot und Wein"; daß dabei von Göttern die Rede ist und nicht von Gott, muß uns nicht beirren):

Und nun denkt er zu ehren in Ernst die seligen Götter,
　Wirklich und wahrhaft muß alles verkünden ihr Lob.
Nichts darf schauen das Licht, was nicht den Hohen gefället,
　Vor den Äther gebührt Müßigversuchendes nicht.
Drum in der Gegenwart der Himmlischen würdig zu stehen,
　Richten in herrlichen Ordnungen Völker sich auf
Untereinander und baun die schönen Tempel und Städte
　Fest und edel, sie gehn über Gestaden empor –.

Im Ereignis des schöpferlichen Geistes fällt nicht allein der Zaun zwischen den Nachkommen Abrahams und der übrigen Menschheit (Eph 2,11–22), sondern aufgehoben wird auch die für das Judentum aber auch für die ganze antike Religiosität fundamentale Unterscheidung von Rein und Unrein. Aufgehoben nicht zugunsten einer Entwertung der Welt und deren Auslieferung zu beliebiger Verwertung (was für ein Wort!), sondern zugunsten der Heiligung der Welt durch den Glauben. „Alles ist rein" (Röm 14,20; Tit 1,15; Apg 10,9–16, Mk 7,18–23). Wie ein dunkler Riß war diese Unterscheidung zwischen Rein und Unrein durch die Schöpfung gegangen und durch das Leben jedes Juden (vgl. Lev 11–15). Obwohl weder in der Schöpfungsgeschichte noch gegenüber Noa davon die Rede gewesen war. Jetzt endlich leuchtet in der Gemeinde Jesu Gen 1 in voller Klarheit (Jak 1,17 f. – N):

Jegliche gute Gabe und alle vollkommene Spende
　ist von oben und steigt herab von dem Vater der Lichter,
bei dem keine Wandelbarkeit ist

und kein Sich-Verfinstern.
Sein Wille war's, uns zu gebären durch das Wort der Wahrheit,
auf daß wir seien – wir! – ein Erstling Seiner Schöpfung.

Darauf wartet die Schöpfung, daß diese Erstlinge, die wahren Söhne Gottes ans Licht treten: der Mensch, dessen die Schöpfung sich freuen kann wie an dem Adam, der die Erde bebaute und bewahrte (Gen 2,15; Röm 8,19; vgl. Mk 1,13; Mt 5,5). Das ist das Ziel, daß alle Geschöpfe IHN fröhlich loben können

> HERR, unser Gott, *DU* bist würdig,
> zu nehmen Preis und Ehre und Kraft;
> denn *Du* hast alle Dinge geschaffen,
> und durch Deinen Willen haben sie das Wesen
> und sind geschaffen.
>
> Und alles Geschaffene
> das da ist in dem Himmel
> und auf der Erde
> und unter der Erde
> und auf dem Meer
> und was da in ihnen ist –
> alle hörte ich sagen:
> Dem, der da sitzt auf dem Thron
> und dem Lamme
> der Preis und die Ehre
> die Herrlichkeit und die Macht
> in alle Ewigkeiten!
>
> Und die vier Wesen sprachen
> AMEN
> und die vierundzwanzig Ältesten fielen nieder
> und beteten an
> (Offb 4,11; 5,13 f. – N).

Für seinen Rat an die Christen in Korinth in der Frage des Essens von Opferfleisch hatte sich Paulus nicht auf Jesus berufen. Weder zitiert er ein Wort Jesu, noch bringt er seine Sätze in Zusammenhang mit Kreuz und Auferstehung. Er verweist die Korinther vielmehr – modern gesprochen – auf den ersten Satz des Glaubensbekenntnisses, auf den Gott des ersten Gebots. Brauchte er dazu Christ zu werden? Hätte er das als Jude nicht genauso sagen können? Nein und Ja!

Dreimal Nein: Denn für den Juden folgte aus dem ersten Gebot das strikte Verbot, Opferfleisch heidnischer Götter zu essen. Zweitens war dem Juden seit Noa nur geschächtetes Fleisch zu essen verstattet. Drittens erschwerten die Reinheitsgebote den Kontakt mit den Heiden überhaupt. Ja: Denn Paulus tut ja hier nichts anders als die Schrift beim Wort nehmen. Auch für Paulus wird in Jesus das Alte Testament erfüllt – nicht abgeschafft (Röm 1,2; 2 Kor 1,20; vgl. Mt 5,17). Auch wenn Paulus hier den Namen Jesu nicht ausspricht, so spricht er doch auch hier als Apostel Jesu Christi (1 Kor 1,1). Wir haben darum zu fragen: Inwiefern geht es in Jesus um die Ehre des Schöpfers? Inwiefern ist Jesus selbst das Wort des Schöpfers – das WORT, ohne das nichts gemacht ist (Joh 1,3)? Wir nähern uns der Antwort in zwei Schritten: Zuerst fragen wir nach dem Wort, das Jesus in Person *ist,* und danach versuchen wir, dies Wort als Wort des Schöpfers zu hören. Werden wir hören lernen, wie alles Geschaffene den preist, der da sitzt auf dem Thron, *und das Lamm?*

2. Das Wort hören, das Jesus ist

Wir unterscheiden zwischen den Worten, die einer sagt, und dem Wort, das einer ist. Dieser Unterschied ist jeder Mutter vertraut. Kein Wesen spricht so vernehmlich wie ein kleines Kind, das noch gar nicht sprechen kann. Das Kind spricht mit seinem ganzen Dasein: wasch mich, pfleg mich, still mich, schau mich an, sprich mit mir, sorg für mich, behüte mich, bete für mich, sei für mich da, verlaß mich nicht. Und die Mutter antwortet mit ihrem ganzen Dasein auf dies Wort des Kindes. Diese Antwort ist das Urbild aller Ver-Antwortung. Schon in dieser Zeit vor dem Sprechenkönnen ist es freilich so, daß die Äußerungen, die das Kind tut, und das Wort, das es mit seinem Dasein spricht, in Widerspruch zueinander geraten können: das Kind will etwas, was objektiv nicht gut für es ist. Nur die schlechte Mutter wird jedem Wunsch nach dem nachgeben, was das Kind lockt. Die gute Mutter hört dagegen zuerst auf das Wort, das das Kind *ist;* sie orientiert sich am Sein des Kindes, danach erst an seinem Bewußtsein. Wir sprechen von unverantwortlichem Handeln, das sich *nur* am Bewußtsein des andern orientiert, im Unterschied zu verantwortlichem Handeln, das – in allen Bereichen – weiter blickt als nur auf das augenblickliche Bewußtsein der Betroffenen und darum auch zu den vielzitierten „unpopulären Maßnahmen" die Kraft hat. Der Unterschied zwischen dem Wort, das einer ist, und dem, das einer sagt, ist allgegenwärtig. Wer z. B. Erinnerungen aus seiner Schulzeit erzählt, erzählt meist davon, was der Lehrer den Schülern in Wirklichkeit war, im Unterschied zu dem, was er ihnen bewußt sagen wollte. Über das, was ich Kindern in einer bestimmten Stunde oder auch allgemein sagen *will,* verfüge ich halbwegs. Das, was ich ihnen *bin,* ist mir entzogen; da bin ich mir selbst entzogen. Auszudrücken, was ich für andere bin, ist nicht meine Sache, sondern die der andern. Ein Sohn kann zu seiner Mutter sagen: Du bist doch die Beste – und das Wort ist wahr als Wort der Liebe und Dankbarkeit. Aber darf die Mutter darum sagen: Ich bin die beste Mutter!? Einer kann zu seinem Mädchen sagen: Du bist die Schönste. Aber nur die gottlose Königin (im Märchen vom Schneewittchen) sagt: Ich bin die Schönste im ganzen Land! – Ich habe bewußt das Wort *gottlos* gewählt. Denn im Wahrnehmen dieses Unterschieds wartet auf uns eine Erfahrung Gottes. Noch ist uns das Gefühl dafür nicht gänzlich erstorben. Noch kann uns das Grauen packen, wenn einer über sein Sein verfügen will: „ich bin der Führer, der euch herrlichen Zeiten entgegenführt", „ich werde der beste Präsident sein, den Amerika je gehabt hat", „wir sind eine führende Industrienation", „wohlauf, laßt uns einen Turm bauen, des Spitze bis an den Himmel reiche" (Gen 11,4). Aber der im Himmel sitzt, lacht ihrer (Ps 2,7).

Auch bei Jesus müssen wir unterscheiden zwischen dem Wort, das er sagt, und dem, das er ist. Jesus verfügt nicht über sich selbst. Es ist das Kennzeichen der falschen Messiasse, daß sie sagen *Ich bin's:* Es werden viele kommen unter meinem Namen und sagen: Ich bin's, und werden viele verführen (Mk 13,6). Auch heute noch wird nach dem messianischen Selbstbewußtsein Jesu gefragt. Manche sind der Ansicht, es sei etwas gewonnen damit, wenn sich dieses Selbstbewußtsein mit den Mitteln des Historikers bei Jesus nachweisen ließe. Wenn es aber wahr ist, daß der Sohn nichts von sich selber tun kann (Joh 5,19), daß Jesus sich entzogen ist, dann geht schon die Frage am Wesen Jesu vorbei, und die Antwort stiftet gerade im positiven Fall mehr Verwirrung als Klarheit. In dieser Frage scheint mir der gottvergessene moderne Mensch zu versuchen, Jesus in die eigene Gottvergessenheit zu übersetzen. Ähnlich verhält es sich mit der verbreiteten Redeweise von der Absicht, dem Anspruch, Willen und Ziel Jesu. Das alles ist die Sprache des homo faber, dem im Grunde nur das „wirklich" heißt, was er selber zu bewirken vermag. Nach kapitalistischer wie marxistischer Doktrin definiert sich der Mensch selbst durch seine Arbeit und Leistung; wir sind eine Leistungsgesellschaft. Die Evangelisten sprechen anders. Sie zeigen uns den Jesus, der um das Geschehen des väterlichen Willens betet und beten lehrt (Mt 6,10; 26,36–44). Sie zeigen gerade nicht einen Jesus, der mit dem Lautsprecher daher kommt: Achtung, Achtung, hier spricht der Sohn Gottes. Vielmehr sind es immer die andern, die in Worte fassen, wer Jesus für sie ist (Mt 16,13–17). Das Bekenntnis zu ihm als dem Messias, dem Heiland, dem HERRN ist nie Unterwerfung unter seinen Anspruch, Anerkennung des Selbstbewußtseins Jesu, sondern es ist der Ausdruck dessen, der überwältigt ist vom Sein Jesu, dem Jesus aufgegangen ist (Mk 1,45; 4,41; 15,39; Joh 20,24–28). Der Glaube findet die rechten Namen für Jesus – immer wieder neue, so wie Liebende immer wieder neue Namen füreinander finden. Hier wie dort sind diese Namen lebendige Variationen des einen: DU? – Ja, DU! Du allein. Du bist Christus, des lebendigen Gottes Sohn (Mt 16,16). Mein HERR und mein Gott (Joh 20,28)!

Auf dieses liebende DU ist alles Leben angewiesen wie die Blume auf das Licht der Sonne. Wo dieses Du mir gilt, da blühe ich auf; wird es mir entzogen, welke ich dahin. Dieses Du stellt ja nicht objektive Gegebenheiten am geliebten Gegenüber fest, sondern es ist schöpferisches, belebendes Wort, das den andern wachsen, blühen und gedeihen läßt. In dieser Liebe sagen beide: Was wäre ich ohne dich? Was wäre die Mutter ohne Kind, das Kind ohne Mutter? So auch Jesus: Was wäre Er ohne den Glauben der Seinen, was die Seinen ohne den Glauben an ihn?

Dem widersprechen nun scheinbar jene großen Worte Jesu im Johannesevangelium (6,35; 8,12; 10,12; 11,25; 14,6; 15,1; 18,5):

Jesus sagt:
Ich bin das Brot des Lebens
Ich bin das Licht der Welt
Ich bin der gute Hirte
Ich bin die Auferstehung und das Leben
Ich bin der Weg und die Wahrheit und das Leben
Ich bin der rechte Weinstock
Ich bin's.

Diese Worte sind vom letzten in der Reihe her zu verstehen. Mit diesem „Ich bin's" liefert sich der gute Hirte den Häschern aus und schützt so die Seinen (Joh 18,1–11). Diese Sätze sind nicht so etwas wie Tonbandmitschnitte öffentlicher Äußerungen Jesu. Sondern in ihnen läßt der Evangelist uns hören, was kein Ohr vernommen, und sehen, was kein Auge gesehen hat (vgl. 1 Kor 2,9): das Wort, das Jesus *ist*. Jedes dieser Worte ist ein Ereignis und eine Gabe des GEISTES. Jedes verdankt sich einem Ur-Sprung, in dem Jesus einem Menschen aufging. Müßten diese Worte dann nicht die Form des Bekenntnisses haben: Du bist das Brot des Lebens; Du bist das Licht usw.? Gewiß, diese Worte sind auch Bekenntnis (vgl. Joh 20,28). Doch auch die Form des Bekenntnisses ist mißverständlich. Es kann so aussehen, als mache mein Bekenntnis ihn erst zu dem, was er ist. So wie man heute Politiker mit Mitteln der Werbung „aufbaut", zu etwas macht. Das ist eine schauerliche Karikatur der Schöpferkraft des Wortes der Liebe. Denn das Bekenntnis ist ja nur Antwort, selig-liebende Antwort auf das Wunder, daß ER mir aufging. Dieses „Bekenntnis" spricht aus, was ist: Brot ist Brot. Es macht hörbar, was das Brot durch sein Dasein sagt. Das Brot sagt: ich bin Brot, teil mich aus, iß mich, stärke dich! Und eben so bleibt es wahr: Was wäre das Brot ohne den, der es dankbar ißt? So spricht das Bekenntnis zu Jesus nur dankbar nach und aus, wer Jesus ist. Weil aber Jesus nicht über sich selbst verfügt, kann er das letzte Wort über sich selbst weder sagen noch sagen wollen. Die Evangelisten und Apostel aber haben nicht nur Jesu Worte zu bewahren. Sie haben das Wort zu sagen, das der am Kreuz zum Verstummen gebrachte Jesus nicht sagen kann, das Wort, das Jesus ist, das Wort *des* Kreuzes (vgl. 1 Kor 1,18), Ihn *als* Wort (Joh 1,1).

Was heißt das für unser Lesen in den Evangelien? Die Evangelien sind – das ist in letzter Zeit oft genug mit Recht betont worden – keine Reportage des Lebens Jesu. Sie sind aber auch keine bloße Sammlung von Worten Jesu. Sondern in ihnen als Ganzes wie in jedem einzelnen ihrer Abschnitte geht es um Jesus selbst: Wer ist dieser (Mk 4,41)? Darum geht es nicht nur darum, was Jesus seinen Hörern sagen will, sondern auch darum, was Gott zu Jesus sagt – gerade auch durch das, was Jesus widerfährt. Jesus ist nicht nur Sender, sondern auch Empfänger, nicht nur aktiv, sondern auch passiv. Er wird einen Weg geführt. Wir blicken beim Lesen im Evangelium immer wieder auf in das Antlitz Jesu: Und Du? Warum sagst du das? Warum tust du das? Woher kommt dir das? Wir denken daran, wie das Geheimnis Jesu, sein Gottesverhältnis, sein Wort und Wirken bestimmt.

Angesichts des Zeitgeistes, der sich Jesus oft nur als Aktivisten vorstellen kann, möchte ich daran erinnern, daß die sogenannten Taten Jesu zuerst einmal Ereignisse sind, in denen Jesus Ungeheures widerfährt, Zumutungen also. Lesen Sie einmal unter diesem Gesichtspunkt des Widerfahrnisses das Markusevangelium: Getroffen vom Ruf des Täufers kommt Jesus zu diesem an den Jordan. Er läßt sich taufen. Ihm widerfährt die Öffnung des Himmels, der Ruf der Stimme. Ihn treibt der Geist in die Wüste. Er wird versucht vom Satan. Der Täufer wird verhaftet – mußte der Schüler da nicht in die Fußtapfen des Lehrers treten? Nun muß *er* sagen, was zu sagen ist: Die Zeit ist erfüllt, und das Reich Gottes ist herbeigekommen. Tut Buße und glaubt an das Evangelium! (1,15). Er ruft die Fischer von den Netzen weg – die Verantwortung für ihr irdisches und ewiges Geschick liegt nun auf ihm. Man sieht: das Passive überwiegt! – Schauerliches widerfährt Jesus am Sabbat beim Gottesdienst in der Synagoge: mitten in der feierlichen Handlung der gräßliche Schrei eines Wahnsinnigen. Unter grauenvollen Krämpfen bringt er dem fremden Prediger gegenüber heraus: „Was willst du, du Jesus von Nazaret? Bist uns vernichten gekommen?", und dann – aus dem Mund des Besessenen! – „ich weiß, wer du bist, der Heilige Gottes!" – Wir lesen drüber weg. Aber die Haare stünden uns zu Berge, bis ins Mark dränge uns das Grausen, erlebten wir auch nur entfernt solches! – So geht es weiter: Am Abend ist das Haus, in dem Jesus sich aufhält, belagert. Modern gesprochen: die Krankenhäuser, die Irrenanstalten, die Heime für geistig und körperlich Behinderte schütten ihre Insassen vor Jesu Tür aus! Einen Abend lang hält er aus. Dann versucht er, die Einsamkeit zu gewinnen. Aber die Männer, die er zu sich gerufen hatte, sie verfolgen ihn schon. Nicht *ein* Tag Ruhe wird ihm gegönnt von den eigenen Leuten nach solchen Ereignissen.

Szenenwechsel. Doch um die neue Szene wahrnehmen zu können, sollten wir uns selbst uns vorstellen: Ich mache einen Besuch im Krankenhaus, gehe dort über den Flur. Da kommt einer – das Gesicht entstellt – Hautkrebs! Ich möchte vorbeigehen. Er aber umklammert mich plötzlich und schreit: Mann Gottes, rette mich! – Was würde ich tun? Ihn abzuschütteln suchen, zornig-verzweifelt: „Für wen halten Sie mich? Ich bin nicht der Doktor! Ich kann Ihnen nicht helfen!" – Und die andere Vorstellung: Ich bin selbst krank, schlimm. Und die angstvolle Frage: „Herr Doktor, können Sie mir helfen?" (An seinem Wollen zweifeln wir kaum; das liegt ja schließlich in seinem eigenen Interesse.) Anders als in diesen vorgestellten Szenen ist es in der folgenden:

Zunächst sehen wir Jesus allein, draußen im Freien, im nahen Hintergrund erblickt man eine kleine Ortschaft. Da kommt einer, kommt näher. Jetzt sehe ich's genau: ein Mann des Ekels, Aussatz! Unrein! Den darf keiner berühren; keiner ihm die Hand geben, keine ihn streicheln; nichts. Dem kann auch keiner helfen. Wenn Gott ihm nicht hilft, muß er so bleiben: getrennt von seiner Frau, weg von der Familie, im Ghetto der Unreinen. Wovon lebt so einer? Kann er etwas arbeiten? etwas verdienen? Muß gar die Familie den Ernährer ernähren? den Napf mit dem Essen ihm hinstellen – in Rufweite entfernt? Wie alt ist der Mann? Zwanzig, vierzig, sechzig? Aussatz – es klang wohl so wie heute *Krebs*. Die Leute fragen, er selber fragt: Warum? Was ist die Schuld? – Der also kommt. Kommt näher. – Halt! Du darfst doch gar nicht weiter. Du mußt dein Elend ausschreien, die andern vor dir warnen: Aussatz! Aussatz! – Jesus, siehst du nicht, was das für einer ist? Geh weg! – Doch Jesus bleibt stehen, flieht nicht. Dieses Bleiben – das ist die Tat Jesu in dieser Geschichte. Denn nun ist's passiert. Der Mann des Ekels hat Jesu Knie umklammert: „Wenn du willst – Du kannst mich reinigen!" – Haben Sie's gehört? Wenn du *willst,* hat er gesagt, nicht: „Kannst du mir helfen?" Wie hätte Jesus auf die Frage nach dem Können antworten müssen? Ist er, Jesus, denn der, der Aussatz heilen kann, so wie man den Schmutz von der Hand wäscht? *Verfügt* er über Wunderkräfte wie ein Muskelmann über Muskelkraft? Klingt im Schrei des Mannes nicht die satanische Stimme des Versuchers: Bist du Gottes Sohn, so kannst du auch Aussatz heilen (vgl. Mt 4,1–10)? Wie hätte Jesus anders antworten sollen als jenem jungen Mann (Mk 10,18): Für wen hältst du mich? Niemand ist gut als allein Gott und keiner dein Arzt als ER allein (vgl. Ex 15,26)? Aussatz ist Gottes Sache (Lev 13–14)! Aber der Aussätzige fragt nicht nach Jesu Können, sondern sagt: „Wenn du willst, so kannst du" – da ist Jesus gefangen. Wie sollte er nicht wollen, daß dem Mann geholfen wird?! Das will ja jeder. So re-agiert Jesus – in völligem Gehorsam gegenüber der Situation. Er streckt die Hand aus – berührt den Unberührbaren, wie der ihn zuvor berührt hatte. Bricht den Bann der Unreinheit, wie jener ihn durchbrochen hatte. Spricht nach, was ihm vorgesprochen ist, was einfach wahr ist: Ich will. Und darin das Ungeheure: Werde gereinigt! Das heißt: ER reinige dich! Wir würden im besten Falle sagen: Ich möchte dir helfen, aber ich kann leider nicht. Er aber spricht und handelt als der Sohn, sieht nicht auf sein Unvermögen, sondern auf die Macht des Vaters. Aber man muß die Zumutung spüren, die im Worte des Aussätzigen liegt, die Nähe zur Versuchung, sein zu wollen wie Gott. Dann versteht man, wieso Jesus ihn alsbald schroff von sich weist: zum Priester! gib Gott die Ehre! – Gott ist nahe: Es ist, als sähe Jesus den Vater unmittelbar hinter dem Aussätzigen stehen, als blicke der Sohn den Vater an, und der Vater nicke dem Sohn zu. Da nimmt der Sohn das Wort des Vaters auf und sagt es dem Kranken zu: „sei gereinigt!" (Mk 1,39–45).

So könnten wir fortfahren und viele Texte der Evangelien auslegen als Widerfahrnisse Jesu. Und stünden immer wieder vor dem Geheimnis seines Hörens und Folgens, seines Sich-führen-Lassens; vor dem Geheimnis, wie er sich durchscheinend hält für das Licht des Vaters. So könnten wir dessen inne werden, daß Jesus Licht ist vom Lichte (Nicänisches Glaubensbekenntnis). So, indem er nicht über sich verfügt, wird er zum Wort des Vaters. Zum WORT – nicht zum Buchstaben; zum WORT – nicht zur Rede. Zu jenem einen

Wort, das alles sagt. So wie der Kuß des Vaters auf die Stirn des verlorenen Sohnes alles sagt (Lk 15, 20).

Von diesem WORT spricht das Neue Testament in wundersamen Worten.

Paulus:
– so haben wir doch nur *einen* Gott, den Vater,
von welchem alle Dinge sind und wir zu ihm;
und einen HERRN, Jesus Christus,
durch welchen alle Dinge sind und wir durch ihn
(1 Kor 8, 6).

Ein Schüler des Paulus:
ER (der Sohn) ist Bild Gottes, des Unsichtbaren
Erstgeborener aller Schöpfung
denn in Ihm ward geschaffen das alles
in den Himmeln und auf Erden
das Sichtbare und Unsichtbare
(himmlische und irdische) Throne und Herrschaften
(himmlische und irdische) Mächte und Gewalten
alles durch Ihn und auf Ihn hin geschaffen!
(Kol 1, 15 f. – N)

Der Verfasser des Hebräerbriefes:
Vielmals und auf vielfältige Weise
hatte einst GOTT gesprochen den Vätern durch die Propheten
da ER jetzt am Ende der Tage
sprach zu uns durch (den) Sohn
den ER setzte zum Erben von allem
durch den er erschuf die Äonen (die Welt)
(Hebr 1, 1 f. – N).

Der Evangelist Johannes:
Im Anfang war das WORT
und das WORT war bei Gott
und Gott (das ist: göttlich) war das WORT
Dasselbige war im Anfang bei Gott

Alle Ding sind durch dasselbige gemacht
und ohn dasselbige ist nichts gemacht
(Joh 1, 1–3 – Luther).

Statt „Wort" könnte man auch übersetzen „Spruch". Jesus,
„wahrhaftiger Mensch, von der Jungfrau Maria geboren"
(Luther[42]), soll der Spruch sein, durch den die Wirklichkeit
wirklich ist, durch den Gott sich der Welt als Schöpfer ver-
spricht, „dadurch die Welt mit Treuen / als seine Braut zu
freien" (Johann Rist[43]). Können wir das verstehen oder wenigstens erahnen?

3. Jesus – das Wort des Schöpfers

Wenn ich mich selbst richtig verstehe, dann kommt jetzt der
Abschnitt dieses Buches, auf den ich mich am meisten freue.
Von diesem Abschnitt hoffe ich aber auch am meisten, daß
andere es besser sagen und leben als ich.

Lassen wir uns von der Trinitätslehre leiten, dann müssen
wir – theo-logisch – auch sagen: Das Wort, das Jesus ist, ist
das Wort Gottes, des Schöpfers Himmels und der Erden, all
des das sichtbar ist und unsichtbar. Das Wort dessen, der
auch mich „geschaffen hat samt allen Kreaturen, mir Leib
und Seele, Augen, Ohren und alle Glieder, Vernunft und
alle Sinne gegeben hat und noch erhält; dazu Kleider und
Schuh, Essen und Trinken, Haus und Hof, Acker, Vieh und
alle Güter; mit aller Notdurft und Nahrung dieses Leibes
und Lebens reichlich und täglich versorgt, wider alle Fähr-
lichkeit beschirmt und vor allem Übel behütet und bewahrt;
und das alles aus lauter väterlicher, göttlicher Güte und
Barmherzigkeit ohn all mein Verdienst und Würdigkeit; des
alles ich ihm zu danken und zu loben und dafür zu dienen
und gehorsam zu sein schuldig bin; das ist gewißlich wahr"
(Martin Luther[44]). – Für das Lesen im Neuen Testament heißt
das: Ich höre Jesu Stimme nur recht und nehme ihn als den
Sohn Gottes nur recht wahr zusammen mit allem Lebendigen, zusammen mit allem, was Erde, Luft und Meer erfüllt –

und erfüllte. – Sie werden vielleicht sagen: aber das ist doch selbstverständlich! – In der Tat! Das ist selbstverständlich oder sollte es doch sein. Aber in der Literatur zum Neuen Testament, die ich seit meiner Studentenzeit bis heute zu Gesicht bekomme, ist fast immer nur vom Menschen die Rede, vom Menschen losgelöst von der Natur, die ihn trägt und in allen Fasern seines Leibes lebt. Da scheint keine Sonne, da leuchtet kein Stern, da singt kein Vogel, da weint kein Kind. Man hört nicht die Kommandos auf Golgota, nicht die Schreie derer, die man am Kreuz befestigt. Man sieht keine Fliegen auf dem Leib des Gekreuzigten, spürt nicht die Hitze, noch die Qual des Durstes. Man sieht nicht die Füße des Apostels, die so weite Strecken durchwanderten, nicht die Striemen auf seinem Leib von den Mißhandlungen, die er erlitt, keine Spuren seiner Fesseln. Man sieht nicht die starken Arme und kräftigen Hände des Fischers Petrus. Und es fällt einem wie Schuppen von den Augen: die tödliche Langeweile, die so oft ausgeht von zeitgenössischer Literatur über das Neue Testament[45] – sie ist nicht nur die Folge der Schreibtischexistenz ihrer Verfasser, sondern auch einer Gottvergessenheit, die als Schöpfungsvergessenheit sich zeigt. Ein Beispiel: Ein Freund, evangelischer Studentenpfarrer und promovierter Philosoph, erkundigte sich kürzlich, an welchem Thema ich sei. – Natur und Glaube im Neuen Testament. – ?? – Im Alten Testament, das könne er noch verstehen, aber im Neuen? Es wollte ihm partout nichts dazu einfallen. Und vollends empörte es ihn, daß ich im Gottesdienst anläßlich eines Tierschützertreffens mitwirken wollte. Heiliger Franziskus, bitte für ihn! Lieber, wo hast du deine Augen und Ohren, deine Nase und sonstigen zwei, drei oder acht Sinne? Das erste bis vierzigste Zeitwort im Neuen Testament lautet „zeugte"; am Himmel wandert ein Stern und führt die Gelehrten zum Kind; die Sonne verliert ihren Schein, die Erde erbebt; fast wie weiland Abraham tritt Jakobus unter den nächtlichen Himmel mit seinen unzähligen Sternen und blickt auf zu Gott, dem Vater der Lichter (Jak 1,17). Die Menschen des Neuen Testaments verbringen den größten Teil ihres Lebens unter freiem Himmel. Ihnen allen ist selbstverständlich der Bauer Inbild des Menschen, von dem sie die meisten ihrer Gleichnisse nehmen, Jesus so gut wie Paulus und Jakobus. Was in der Schöpfungsgeschichte Gen 1 geschrieben steht – Paulus hat es selbst erlebt, als der Sturm das Schiff kentern ließ, und er auf der gräßlichen, trostlosen Salzflut trieb, Nacht über, Tod unter ihm; als dann am Morgen Licht und Finsternis sich schieden, als das feste Land zuerst in Sicht und danach unter die eigenen Füße kam; als dieses Land süßes Lebenswasser bot und fruchtbare Bäume und endlich Menschen, Fleisch von seinem Fleisch und Bein von seinem Bein, die sich der Schiffbrüchigen menschlich annahmen (2 Kor 11,25; Apg 27,13 bis 28,2). Der Gott, der das Leben dem Tode gleichsam abgewinnt, der Schöpfer, der dem Nichtseienden ruft, daß es sei (Röm 4,17) – das war für Paulus kein Gottes*gedanke*, sondern Erfahrung, maßlos schrecklich, wunderbar über alle Maßen (2 Kor 1,8–10). – Fast auf jeder Seite der Evangelien tritt uns der Leibhaftige entgegen, der den gottgeschaffenen Leib des Menschen bis zur Unkenntlichkeit verunstaltet: der tote Blick der blinden Bettler, das abstoßende Gelalle der Tauben, der Gestank der Kranken; das Elend dessen, der sich nicht aus eigener Kraft fortbewegen kann, die Frau mit dem gräßlichen Buckel und jene mit dem widerlichen ständigen Ausfluß. Und das entsetzlichste von allem: Menschen, die ihrer selbst nicht mächtig, nicht ansprechbar sind, von Krämpfen überwältigt am Boden zukken, grausige Schreie ausstoßend, mit der Kraft der Tobsucht sogar die Fesseln zerreißend, die man ihnen anlegen muß.

Wo stehen die gewaltigsten Hymnen auf den Schöpfer im Neuen Testament? In der Offenbarung; die Märtyrer stimmen sie an (4,11; 5,13; 11,15–19). Dort sind auch die Verheerungen der Schöpfung geschaut: tote Flüsse, tote Meere, sterbendes Grün, nicht mehr einzudämmende Seuchen. Und wenn davon die Rede ist, daß die Sterne ihre Bahn verlassen, dann sollte sich der schöpfungsvergessene Zeitgenosse daran erinnern lassen, in welchen kosmischen Bezügen wir alle leben. (Viele junge Menschen wissen nicht einmal, daß und weshalb der Monat seinen Namen vom Monde hat!) Kurz: es dürfte schwer fallen, auch nur eine Seite im Neuen Testament zu finden, wo es nicht um die Gegenwart des Schöpfers geht.

Die Hauptsache im Neuen Testament – um es so grob auszudrücken – ist nicht der Mensch; weder seine irdische Besserstellung, noch seine Erlösung. Die Hauptsache ist auch nicht Jesus, weder seine Lehre, noch sein Kreuz und seine Auferstehung. Alles wird schief und – schlimmer – lebensfern und lebensfeindlich, wenn man nicht Mitte sein läßt, was Mitte ist: daß Sein Name geheiligt werde, Sein Reich komme, daß dem Schöpfer die Ehre zuteil wird, die ihm gebührt, daß Gott sei – alles in allem (1 Kor 15,28). Was aber ist das: die Ehre des Schöpfers? In der Sprache der Bibel gesprochen müßte man wohl sagen: daß ER voll Freude Sein göttliches „sehr gut" spricht (Gen 1,31). Sehr gut, wie es lebt und sich regt, wie es wimmelt und wuselt und sich des Lebens freut. Wie die Freude des Kindes die größte Freude der Mutter ist, so ist das Leben seiner Geschöpfe Sein Leben, ihre Freude Seine Freude, ihre Seligkeit Seine Seligkeit. Der Herr freue sich seiner Werke (Ps 104,31)!

Steht das im Neuen Testament? Ich will zunächst erzählen, was ich beim Lesen von Mt 10,29–31 vor mir sehe: Ein Dorf in Galiläa. Markttag, orientalisch. Jesus und seine Jünger gehen über den Platz. Doch er geht vorbei an den Ständen der Weber und Töpfer und Fischer. Am Rand des Marktes, wo die billigen Plätze sind, bleibt er stehen. Ach Gott, da hockt einer am Boden, ruft: „Spatzen zu verkaufen! Zwei Stück um einen Groschen!" Ein paar Käfige hat er vor sich stehen; ängstlich flattern die Vögelchen drin herum. (Oder hat er sie – gerupft, mit umgedrehten Hälsen – in Zweierbündeln vor sich auf dem Tuche liegen?) „Zwei Stück für einen Groschen!" – der Braten der Armen. – Die jungen Männer um Jesus schauen hin; ihre Gesichter verfinstern sich: „So ist das Leben", denken sie, „am Morgen singt man noch, am Abend schnappt die Falle zu. Und wir? Kann man nicht auch uns fangen wie die Spatzen, einsperren, töten – wie sie den Täufer gefangen und getötet haben?" Jesus hatte geschwiegen. Jetzt schaut er sie an. „Zwei Spatzen für einen Groschen", wiederholt er – „und doch fällt keiner von ihnen auf die Erde ohne euren Vater im Himmel!" Ein Gott, der sich um jeden einzelnen Sperling kümmert? Und jetzt kommt's: Fröhlich faßt Jesus in des Petrus wuscheligen Haarschopf und verkündet im Über-Mut des Glaubens: „Sogar die Haare auf deinem Kopf hat ER gezählt!" Da müssen die Jünger lachen, wenn sie sich vorstellen, wie der große Gott die Haare zählt auf Petri Kopf. Und Jesus sagt: „Darum fürchtet euch nicht; ihr seid mehr als viele Spatzen!" Da müssen die Jünger noch einmal lachen: Wieviel Sperlinge würde man brauchen, um so einen Felsenmann wie Petrus aufzuwiegen!

Jetzt hören wir den *Ton,* in dem Jesus hier spricht: schockierend heiter. Als ob Verfolgung und Tod ein Spiel wären: Der Vater brummt wie ein Bär „paß auf, jetzt freß ich dich", und die Kinder kreischen vor Vergnügen. In uns regt sich Widerstand gegen einen derartigen Umgang mit dem Schicksal von Tieren, mit der Angst von Menschen und mit dem heiligen Gott. Wie viele Menschen guten Willens enttäuscht Jesus hier: kein tierschützerisches Wort gegen den barbarischen Vogelfang; kein Aufruf, das Los der Armen zu erleichtern. Aber Jesus hat auch nichts geleugnet; er verharmlost nicht, was die Jünger befürchten. Im Gegenteil, er unterstreicht es: das Schicksal der Spatzen ist auch euer Schicksal (Mt 10,16–25.28). Sondern: wie Jesus hinter dem Aussätzigen IHN sah, so spricht er auch hier an der Stätte der Angst Seine Nähe aus. Jesus ist wie der Tautropfen, der das unsichtbare Licht funkeln läßt, daß es eine helle Freude ist. So leuchtet Gottes Nähe in Jesu Wort.

Nicht anders also können die Jünger den nahen Gott fassen als so, daß sie ihn zugleich, ja zuerst, den Gott der Sperlinge sein lassen – der Sperlinge, die da in ihren sicheren Tod verkauft werden. Gottes Nähe ist die Nähe des Schöpfers. Nähe ist nicht teilbar, sie gilt den Spatzen wie den Menschen. „Schöpfer wie kommst Du uns Menschen so nah!" (J. L. K. Allendorf, EKG 53, 1). Jesus schließt nicht aus einem idyllischen Anblick darauf, daß überm Sternenzelt ein lieber Vater wohnen müsse. Sondern er antwortet mit seinem Wort der Gegenwart dessen, der lebendig macht die Toten und ruft dem, was nicht ist, daß es sei (Röm 4,17). Schöpfung und Auferweckung der Toten sind zwei Worte für dasselbe Werk Gottes. Ist ER nah, dann ist er allem nah, den Spatzen und den Menschen, dem Tod und dem Leben. Jesu Wort aber ist keine theologische Behauptung der Allgegenwart Gottes, sondern fröhlicher Zuspruch seiner Nähe.

Nah ist er auch den Blumen. Aber immer stimmte ihr Anblick den Menschen auch zur Wehmut:

Alles, was lebt, ist wie Gras,
und all seine Schönheit ist wie die Blume auf dem Feld.
Das Gras verdorrt, die Blume verwelkt,
wenn der Atem des Herrn darüberweht
(Jes 40,6f. – E).

Es ist das alte traurige Lied vom Schnitter Tod. Auch Jesus kennt es: „das Gras auf dem Felde, das heute steht und morgen in den Ofen geworfen wird". Und wieder macht Jesus gegen die Wehmut die Nähe des Schöpfers geltend. Selbst für die kurze Spanne ihres Blumenlebens sind IHM die Lilien nicht zu schade dafür, daß er jede einzelne schöner kleidet als den König Salomo (Mt 6,28–30):

Und was sorgt ihr euch um die Kleidung?
Schauet die Lilien auf dem Felde, wie sie wachsen;
sie arbeiten nicht, auch spinnen sie nicht.
Ich sage euch,
daß auch Salomo in all seiner Herrlichkeit
nicht bekleidet gewesen ist, wie derselben eine.
So denn Gott das Gras auf dem Felde also kleidet,
das doch heute steht und morgen in den Ofen geworfen
wird:

sollte er das nicht viel mehr euch tun,
o ihr Kleingläubigen?

Das gefällt uns. Wirklich? Jesus spricht zu Menschen, die
nichts haben, als was sie auf dem Leibe tragen; die oft nicht
wissen, wie sie sich zureichend schützen sollen vor der Kälte
der Nacht, vor der Gluthitze des Tages (Mt 5,40; 10,10;
2 Kor 11,27; vgl. 2 Tim 4,13). Zu Menschen, die morgen in
den feurigen Ofen geworfen werden können. Stellen Sie
sich bitte vor: Einer wie in Gogols „Mantel", einer, dessen
Einkünfte unter dem liegen, was wir als das Existenzmini-
mum ansehen, wird auf dem Sozialamt vorstellig und erhält
zur Antwort: „Kleidergeld gibt's nicht; aber machen Sie sich
keine Sorgen; sehen Sie, der Klatschmohn da drüben auf der
Schutthalde ist bestens gekleidet – ohne jede Beihilfe!" Der
Herr vom Amt möge sich vorsehen, daß er nicht auf der
Stelle verprügelt wird. Der Mensch ist keine Blume, und mit
seiner Not darf man keinen solch grausamen Spott treiben.
Ist Jesus zynisch?
Zugegeben: Er spricht hier in Matthäus nicht zu armen
Bittstellern, sondern zu Menschen, die um seinetwillen freiwillig alles verlassen haben und arm geworden sind (Mt
4,18–22; 10,9 ff.; 19,27). Aber wird die Sache darum besser?
Vom Anblick einer schönen Wiesenblume kann sich keiner
vor dem Frieren schützen. Wir sind wieder an jenem Punkt,
wo wir erkennen: wenn wir dastehen lassen, was dasteht,
die Worte wörtlich nehmen, dann spüren wir unwillkürlich,
wie sich in uns alles gegen Jesus empört. Doch was sagt
Jesus? Er sieht Gott vor sich, wie er voll Freude und voll
Liebe jede Lilie einzeln kleidet – wie die Freundinnen die
Freundin bräutlich schmücken. Dieser Gott ist Jesus nah. „Er
ist auch euch nah", sagt er seinen armen Freunden. Wenn
die Lilie Gegenstand ist Seiner Liebe und Freude – wie viel
mehr ihr! Nicht dem feurigen Ofen zulieb schmückt er sie,
sondern zu Seiner göttlichen Freude. – Durch dieses Wort
bringt er mich gegen sich auf, gegen Gott. So muß ich mich
im Licht seines Wortes als Feind des Schöpfers erkennen.

Den andern verteufeln als Feind des Guten, auf dessen Seite ich selbst mich natürlich weiß, ist nicht schwer. Schwer ist es aber, sehen zu müssen, wie ein andrer dadurch zum offenbaren Feind des Lichts wird, daß ich leuchten lasse, was mir aufging. Schwer ist es, den andern nicht nur seiner Korrektur-, sondern seiner Erlösungsbedürftigkeit inne werden zu lassen. Lese ich nun nochmals Jesu Wort von den Blumen, dann fällt mir auf: „Feind des Schöpfers" – das habe ich gesagt, nicht er; das war mein Bekenntnis, nicht sein Vorwurf. Er sagte nur: o ihr Kleingläubigen! So spricht die Liebe und zeigt den Weg, der vor meinen Füßen beginnt und den ich doch zuvor nicht gesehen habe: Freude an den Lilien, Freude an Jesus, Freude am göttlichen, schöpferischen JA, das er mich hören läßt. „Herr, mehre uns den Glauben!" (Lk 17,5).

So sehen wir Jesus in den Evangelien: der Nähe des Vaters sich freuend, den Vater ehrend und seine Nähe allen gönnend (Joh 6,37). Aus dieser Nähe entspringt sein Tun und Lassen, sein Wort und sein Schweigen. Je leuchtender die Nähe des Vaters sich offenbart, desto deutlicher wird der Widerstand, der Jesus entgegentritt. Wer diesen Widerstand nicht ernst nimmt, der nimmt Jesus nicht ernst; wer ihn nicht in sich selbst zuläßt, nimmt sich selbst nicht ernst. So haben wir uns beim Lesen im Evangelium in der Regel in den „Gegnern" Jesu wiederzufinden. Sie sind zunächst im Recht. So wie jener Synagogenvorsteher im Recht ist, der seiner Gemeinde das Sabbat-Gebot einschärft und darauf besteht, daß es mit der Heilung einer chronisch Kranken bis morgen Zeit habe (lesen Sie jetzt bitte Lk 13,10–17). Er hat Recht, wenn er seiner Gemeinde den Segen der wunderbaren Sabbatruhe erhalten wissen will. Darin widerspricht ihm Jesus nicht. Jesus ist nicht gekommen, damit der Feiertag zum Werktag werde. Es geht auch nicht – wie man heute oft lesen kann – um Normen. Im Streit zwischen ihm und dem Synagogenvorsteher stehen sich *nicht zwei Auffassungen* gegenüber, *sondern zwei Zeiten:* die Zeit der Ferne und die Zeit der Nähe Gottes. Der Synagogenvorsteher könnte sagen: Ich weiß wohl, daß es im Reiche Gottes keinen Sabbat mehr geben wird, weil wir uns dort der Nähe Gottes ungestört freuen werden (vgl. Jes 60,19–22). Aber wir sind auf Erden, nicht im Himmel. Und für diese Erdenzeit gab Gott uns den Sabbat – wir können ihn nicht dankbar genug einhalten.

In dieser Zeit der Ferne Gottes, da kann der Satan achtzehn Jahre lang mit der gekrümmten Frau umspringen, als sei kein Gott, der den Menschen aufrecht geschaffen habe. In der Zeit der Ferne Gottes, da müssen alle sagen: die Frau muß ihr Schicksal tragen; da kann man nichts machen. Wo aber Gott nahe kommt, da wird die Ohnmacht des Bösen offenkundig, und er muß die von ihm Gebundenen losgeben. Kann es eine schönere Erfüllung des Sabbats geben, als die, daß die Nähe Gottes die Frau aufrichtet? Wenn es wahr ist, daß Gott nahe ist, dann richtet sich die Empörung des frommen Mannes nicht mehr gegen eine Verletzung des Gebots, sondern gegen Gottes Stunde!

Diese Empörung nimmt Jesus auf sich, so wie der Vater im Gleichnis von den verlorenen Söhnen (Lk 15,11–32) die Empörung seines Ältesten auf sich nimmt. Denn Jesus weiß: diese Empörung ist unvermeidlich. Wie sollten wir der Nähe Gottes gewachsen sein? So geht Jesus selbst den Weg des Sperlings in die Todesfalle, den Weg der Lilien in den feurigen Ofen. Das Kreuz besiegelt sein Wort und Tun. Nun haben wir Jesu Wort von Lilie und Sperling zu hören als Wort des Gekreuzigten, als vom Kreuz her gesprochen.

Erst jetzt, nachdem wir Jesu Wort als Wort vom Kreuz vernommen haben, dürfen wir sagen, was manchem vielleicht schon lange auf der Zunge liegt: Wer Jesu Blumenwort sich gesagt sein läßt, dem kann von nun an jede Blume am Wegrand Gottes Nähe zusprechen. Im Licht von Jesu Wort sehen wir diese Blume neu. Dürfen wir sagen: diese Blume ist Gegenstand der Freude Gottes? Was Gegenstand Seiner Freude ist, hat Teil an Seiner Ewigkeit – auch dann, wenn es vor unseren Augen im Feuerofen endet? Hätte Jesus Freude an den berühmten Zeilen des Angelus Silesius[46]:

Die Rose, welche hier dein äußres Auge sieht,
die hat von Ewigkeit in Gott also geblüht.

Viele glauben, Jesu Wort von den Blumen zu kennen.
Aber wer hört, wenn er an einem nassen oder kalten Tag in
seinen Mantel schlüpft, Seine Stimme „ICH kleide dich" –
und wer glaubt ihr? In Jesu Wort von der Kleidung will Gott
uns so nahe kommen wie das Hemd auf dem Leibe.

In Jesu Wort wird uns die sterbende Natur wieder zu Gottes Schöpfung. Sie wird natürlicher, wirklicher. Die Blume
erhält ihre Würde zurück: Gott kleidet sie, zu Seiner Freude,
Ihm blüht sie. Sie ist nicht nur um des Menschen willen da;
ihr Sinn erfüllt sich nicht darin, unsereinem einzuheizen.
Jesus stellt keine Betrachtung darüber an, wie beides sich zu-
einander verhält: das Blühen und das Verbranntwerden im
Ofen. Dazu ist ihm Gott zu nahe. Doch wir sehen, wie in
Jesu Wort das Todesgeschick der Blumen dazu dienen muß,
ihre Einkleidung durch Gott erst recht ins Licht zu rücken.
So ist alles Geschaffene unmittelbar zu Gott. Und unserem
Grundgesetz fehlt der entscheidende Satz: Die Würde der
Natur ist unantastbar (nicht nur die Würde des Menschen,
Artikel 1).

Jesus stirbt nicht nur unsern Tod, er stirbt den Tod der
Kreatur. Mit ihm starb der Baum, der für sein Kreuz gefällt
werden mußte. Er stirbt den Tod des Lammes. Wenn das
Neue Testament *Lamm* sagt, dann meint es ein Lamm. Das
Töten der Tiere vollzog sich damals nicht im Abseits der
Schlachthäuser, sondern vor den Tempeln und Häusern – so
wie bei uns auf dem Land früher die Schweine geschlachtet
wurden. Immer wieder muß es die Menschen tief beeindruckt haben, daß ein Schaflamm im Unterschied zu anderen
Tieren unter dem Messer stumm stirbt (Jes 53,7). Wie Lilie
und Sperling, so kann nun jedes Lamm, das geschlachtet
wird, an Jesus erinnern. Wollte man das Wort vom Lamm
Gottes aus der Welt des orientalischen Hirten in die des
abendländischen Bauern übersetzen, so müßte man wohl sagen: Jesus – Gottes Schwein. (Wobei mir bewußt ist, daß vie-

les, was in der Bibel mit „Lamm" gesagt ist, in dieser Übersetzung nicht mehr mitschwingt.) Daß uns aber diese Übersetzung lästerlich vorkommt, zeigt nur, wie weit wir uns entfernt haben von der Wahrnehmung der Welt als Schöpfung Gottes und vom Geheimnis Jesu als Wort des Schöpfers.

4. Wo das Neue Testament in seinem Element ist: die Eucharistie

Wir hatten gefragt: wie können wir jenen Satz des Apostels verstehen, daß der Schöpfer alles geschaffen habe durch Jesus? Die Antwort steht noch aus. Aber wir spüren: nun läuft alles zu auf die Feier des Mahls, die Eucharistie. Dort kommen Natur und Glaube zusammen, dort will Jesus als Wort des Schöpfers empfangen, dort will der Schöpfer gelobt werden. Kein Schreiben und kein Lesen kann ersetzen, was dort geschehen will. Darum muß das Geschriebene hier unbefriedigend bleiben; es hätte seinen Sinn verfehlt, gäben wir uns mit diesem Geschriebenen zufrieden. Es muß vielmehr unabgeschlossen, offen bleiben wie eine Tür, durch die man ein Inneres betritt.

Zunächst ist zu erinnern an einige einfache Sachverhalte: Die Schriften des Neuen Testaments sind sämtlich geschrieben sozusagen zwischen zwei Mahlfeiern: Vom Mahl kommen ihre Verfasser her, für die Verlesung in der zum Mahl versammelten Gemeinde sind ihre Schriften in der Regel bestimmt. Im Lichte der Mahlfeier wurden sie ausgelegt. Im Raum, in dem die Gemeinde das Mahl feiert, werden sie aufbewahrt. – Der moderne Leser, der die Bibel fernab von Mahl und Gemeinde aus dem Regal nimmt, muß sich das erst wieder vergegenwärtigen. Für seine Art, mit der Schrift umzugehen, ist diese von Hause aus nicht bestimmt. Unser privates Lesen in der Schrift kann nur ein vorläufiger und nachträglicher, nicht aber der eigentliche Umgang mit der Schrift sein. Der eigentliche Umgang: das Wort will ausgeteilt und empfangen sein wie Brot, wie die eucharistische

Speise: als Frucht des Opfers Jesu, als das Wort des Schöpfers, das Jesus ist.

Wie lautet dieses Wort? Gibt es ein Wort für das WORT in allen Wörtern? Wenn es dieses Wort gibt, dann lautet es auf deutsch: JA (E. Fuchs). Dieses JA versteht jede Blume und jedes Tier; das kleine Kind ebenso wie ein Sterbender. *Jedes Wesen versteht das tiefe JA zu seinem Dasein.* In diesem Dasein ist alles mit allem unlöslich verbunden. Darum kann weder der Unterschied zwischen belebter und unbelebter Natur, noch eine sonstige Trennung, die wir vornehmen wollen im Reich des Seienden vor diesem JA bestehen. Wenn es der Blume gilt, so gilt es auch der Sonne – und so fort durch alle Kreaturen der kleinen und großen, sichtbaren und unsichtbaren Welt. „Ich glaube, daß mich Gott geschaffen hat samt allen Kreaturen" (Luther[42]). Den Anfang des Johannesevangeliums dürfen wir nun so lesen:

> Im Anfang war das JA
> und das JA war bei Gott
> und Gott war das JA
> Dasselbe war im Anfang bei Gott
> Alle Dinge sind durch dasselbe gemacht
> und ohne dasselbe ist nichts gemacht.

Dieses JA vernahm Jesus und machte es geltend – gegen den oberflächlichen Augenschein, und doch unwidersprechlich, jedem geöffneten Auge einsehbar. Wohl bringen Sonne und Regen Leben und Tod: wohlige Wärme und verzehrende Glut, erquickendes Naß und verheerende Flut. Aber keiner kann leugnen, daß Gute und Böse vom selben Licht derselben Sonne leben. Gottes Vollkommenheit ist seine vollkommene Einfalt (Mt 5,45–48). Er ist JA. In der Sprache des Johannes:

> Das ist die Botschaft, die wir von Jesus gehört haben,
> daß Gott Licht ist
> und daß keine Finsternis in ihm ist
> (1 Joh 1,5; vgl. Jak 1,17).

Dies JA „verkörpert" Jesus (Joh 1,14; 2 Kor 1,20). Er ist die Einfalt in Person. AMEN heißt er (Offb 3,14). So wie das Licht nicht anders kann, als Licht sein, so leuchtet Jesus als göttliches JA. Aber die Menschen liebten die Finsternis mehr als das Licht (Joh 3,19). Das JA bringt ein unheimliches NEIN ans Licht. Jesu Wort und Verhalten wecken tiefe Empörung. Tief: wir können das Ja nicht anders verstehen denn als Angriff auf die Grundlagen unseres Lebens. Keiner hat wirklich im Neuen Testament gelesen, der diese Empörung nicht kennt – in sich selbst. Jesus aber bleibt gehorsam, stellt das Licht des offenen Himmels nicht unter den Scheffel. In den Worten Friedrich Hölderlins (aus „Patmos"):

> denn nie genug
> Hatt er von Güte zu sagen
> Der Worte, damals, und zu erheitern, da
> Er's sahe, das Zürnen der Welt.
> Denn alles ist gut. Drauf starb er. Vieles wäre
> Zu sagen davon.

Es starb das JA. Das war das Ende. Die Erde erbebte, und die Felsen zerrissen und die Sonne verlor ihren Schein, und Gräber taten sich auf (Mt 27,45–54).

Doch kein Feuer fiel vom Himmel auf Jerusalem (vgl. Lk 9,52–57). Die Sterne verließen nicht ihre Bahn. Die Welt versank nicht in die Hölle. (Hölle ist da, wo ich das JA der Liebe sehen muß als das von mir verneinte, abgelehnte Ja.) Was hier zu sagen ist, kann ein Kind ablesen an einem alten Bilde. Es ist der gotische „Schmerzensmann", wie er mancherorts zu sehen ist. Ich entdeckte ihn als Wandmalerei an einer Säule der Elisabethkirche in Marburg. Man muß aufschauen zu diesem Bilde, so weit oben an der Säule ist es gemalt. Zuerst sieht man ein Bild vom Karfreitag: die dunklen, dicken Balken des Kreuzes durchmessen fast die ganze Höhe und Breite. Man sieht die dicken, handgeschmiedeten Nägel, die Riemenpeitsche; den Gekreuzigten selbst, die Füße durchbohrt, der Leib geschunden, blutend; die ausgerenkten Arme mit den gräßlich zugerichteten Handflächen, das geneigte Haupt, vielfach verletzt vom dornigen Kranz. Mit einem Wort, dies Bild sagt: Zu spät! Wenn das JA zum Verstummen gebracht ist, dann ist es für immer zu spät. Immer wieder das furchtbare *zu spät:* Es ist zu spät für einen Paulus, wenn Christenblut geflossen ist. Es ist zu spät auch heute: zu spät, wenn der Gottesgedanke einer Pflanzen- oder Tierart einmal ausgerottet ist, wenn nicht nur einer, sondern Tausende solcher Gottesgedanken durch den Menschen vernichtet sind; zu spät, wenn ein Volk ins Verderben gestoßen ist um der Bodenschätze willen, die der weiße Mann meint haben zu müssen. Zu spät: Wer gibt der Mutter ihr Kind zurück, das vor ihren Augen verhungert ist (vgl. Gen 21,14–16) – nicht ohne Schuld der Industrienationen. Zu spät: Nicht ein einziges Wort können wir zurückholen, das der Seele eines andern Wunden schlug. Zu spät: Den Fürsten des Lebens habt ihr getötet (Apg 3,15)!

Was da bleibt, ist restlose Verzweiflung. Restlos: denn die Verzweiflung selbst macht ja alles nur noch schlimmer; sie am allerwenigsten entspricht dem, was jetzt nötig ist. So klammert sich die Verzweiflung an den Tod. Der wenigstens soll sicher sein. Das ist der verzweifelte Glaube der Räuber und Verfolger aller Art, daß die Opfer für immer stumm sind, daß von ihnen auf ewig nichts zu befürchten ist, daß die Verfolger wenigstens im Tode Ruhe haben vor dem Blut ihres Bruders Abel, das da schreit, und Ruhe vor der Stimme, die da fragt: Wo ist er, wo ist dein Bruder Abel (Gen 4)? Die Verwechslung von Tod und Leben hat eine Art Todesreligion hervorgebracht, eine finstere, eine Kirche des Satans. Ihr Glaubensbekenntnis umfaßt nur sechs Worte: Mit dem Tode ist alles aus. Oder nur vier: Nach mir die Sintflut. Oder nur zwei: Wer wen? (Lenin). Nicht zufällig ist das bekannteste Kultzentrum dieser Todesreligion eine Leiche: die in ihrem Moskauer Mausoleum langsam zerbröselnde Mumie Lenins. Als furchtbarer Bann liegt diese Todesreligion auf der Welt. Unter diesem Bann arbeiten weit mehr Wissenschaftler an der Erfindung und Herstellung immer ungeheuerlicherer Todespotentiale als an der Überwindung von Hunger, Elend, Ungerechtigkeit und Naturzerstörung.

„Kehrt um!", sagt Jesus.

„Zu spät", sagt der Teufel – „wegen Sachzwängen nicht zu machen!"

Noch stehen wir vor dem Bild des Schmerzensmannes. Schaut man länger hin, dann entdeckt man: die Nägel durchbohren ja gar nicht mehr die Hände; sie sind herausgezogen und ins Holz gesteckt. Aus der Dornenkrone sprießt lebendiges Laub; sie schimmert golden. Jesu Augen sind nicht geschlossen, sondern blicken gütig herab auf den, der zu ihm aufschaut. Es ist ein Osterbild! Der Gekreuzigte segnet den, der dem Anblick des Kreuzes nicht ausweicht, segnet mit durchbohrten Händen den, der vor dem Zu-spät nicht flieht.

Nun verstehe ich auch, warum das Bild so hoch oben ist. Unter ihm fehlt heute etwas. Unter ihm stand jener Tisch, von dem aus der geschundene Leib als Brot der Gnade gereicht wurde. Das Blut tropfte gleichsam in den Kelch und ward zum Wein der Freude. Brot und Wein, Leben, Kraft und Freude: JA!

Martin Luther warf einst den (reformatorischen) Verächtern des Altarsakraments, Zwingli und den Seinen, vor: es feilet den leuten nichts, denn das sie nie keine creatur recht angesehen haben[47]. Also: Den Leuten fehlt es einzig und allein daran, daß sie noch nie in ihrem Leben auch nur ein einziges Geschöpf wirklich wahrgenommen haben. Und auch heute kommt es darauf an, daß wir das Brot des Sakraments recht ansehen als wahrhaftiges Brot, in dem die ganze Natur gegenwärtig ist: das Leben des Korns und das Leben des Bauern, Himmel und Erde mit all ihren Kräften, die Sonne und mit ihr das All. Daß wir das Geheimnis des Lebens gegenwärtig sein lassen: in einem einzigen Weizenkorn steckt die Kraft, alle Menschen aller Zeiten zu ernähren! „Wenn alle, die in die Welt kommen, zusammenkommen würden, könnten sie nicht eine Mücke erschaffen und Leben in sie hineintun" (Talmud) – auch kein Weizenkorn. „Solchs sehen sie und haltens für kein Wunder" (Luther[48]).

Wer zum Altar tritt, muß sich seine Sünde vorhalten lassen. Sünde ist Mißbrauch: mißbrauchte Nahrung, mißbrauchter fremder und eigener Leib, mißbrauchte Zeit, mißbrauchte Sprache, mißbrauchte Macht (Röm 1,24–32; Gal 5,19 ff.) – mit allen verheerenden Folgen für Mitwelt, Umwelt und Nachwelt. Am Altar wird mir mit der Unerbittlichkeit der Liebe das Wesen meiner Sünde aufgedeckt: als tödliches Nein zu Gottes JA. Das JA bleibt JA. Und so empfange ich endlich das tägliche Brot als das, was es immer schon war: Gottes Gnadenbrot.

Soll also unser Lob des Schöpfers nicht Heuchelei und Lästerung sein, so kann dieses Lob nur dort seinen Ort haben, wo wir in einem Atem mit dem Wunder der Schöpfung auch das Wunder der Vergebung preisen. Heute muß dieser Satz mit demselben Ernst auch andersherum gesagt werden: Soll das Lob der Vergebung nicht Heuchelei und Lästerung sein, so muß es zugleich das andächtige, dankbare Lob des Schöpfers über dem Geschaffenen sein. Je mehr wir Brot und Wein sein lassen, was sie sind, je andächtiger wir ihre „Natur" wahrnehmen, desto mehr werden sie uns zur Kreatur, zum Lebenswort Gottes. – Als ich kürzlich an einem Liebesmahl in der Kirche teilnahm, zeigte mir mein Nachbar ein Bröckchen Brot, das er mit Daumen und Zeigefinger umschloß: „Das war unsere Tagesration in der Gefangenschaft! – Und wie gehen wir heute mit dem Brot um! Das kann nicht gut gehen!" Und ein anderer Nachbar erzählte mir mit Tränen in den Augen von den Brotbergen im Abfall eines zeitgenössischen Supermarkts.

Vergebung der Sünden, Auferweckung der Toten, Schöpfung – das sind drei Worte für das eine, einfältige Wirken Gottes. Dafür dankt die Gemeinde in der Eucharistie, der Danksagung. Freilich: es wird dem Zeitgenossen nicht leicht gemacht, zu erkennen, daß hier der Schöpfer gelobt wird. Wenn der Pfarrer das Hochgebet betet (die Evangelischen nennen es Präfation), dann erinnert bei Katholiken wie Protestanten meist nur noch ein einziger Satz daran, daß hier das Lob des Schöpfers gesungen werden soll. Bei Kyrill von Jerusalem (gest. 386) heißt es an dieser Stelle noch so: „Dann denken wir an Himmel und Erde und Meer, an Sonne, Mond und Sterne, an die ganze vernünftige und unvernünftige, sichtbare und unsichtbare Schöpfung, an Engel, Erzengel, Kräfte, Mächte, Herrschaften, Gewalten, Throne und an die vieläugigen Cherubim und sprechen mit Nachdruck das Wort Davids: „Preiset den Herrn mit mir!" (Ps 33,4). Wir denken auch an die Seraphim, die Isaias im Heiligen Geist den Thron Gottes umstehen sah, die mit zwei Flügeln das Angesicht, mit zwei Flügeln die Füße verhüllen und mit zwei Flügeln fliegen und sprechen: „Heilig, heilig, heilig ist der Herr Sabaoth!" (Jes 6,2 f.). Wir sprechen diese von den Seraphim her uns überlieferte göttliche Lobpreisung, um am Lobgesang der überirdischen Heerscharen teilzunehmen" (Fünfte mystagogische Katechese, aus dem Jahr 348[48]). Vergleichen wir diese Worte Kyrills mit unseren eigenen Erfahrungen in Eucharistiefeiern beider Konfessionen hierzulande, dann werden wir betroffen fragen: Hat die Schöpfungsvergessenheit sich des Allerheiligsten der Kirche bemächtigt? Und es mag uns wie Schuppen von den Augen fallen, wie im Zeichen des grotesken Mißverständnisses von Wort als Vokabel die Schöpfung aus protestantischen Gottesdiensten nahezu völlig verdrängt wurde – nahezu, denn noch blieben uns die Schöpfungslieder des Gesangbuchs. Über die Ursachen dieses Verlustes ist hier nicht weiter zu reden. Es ist schon der Anfang der Umkehr, wenn wir den Verlust empfinden.

Das mag damit anfangen, daß uns auffällt, wie weitgehend wir im Gottesdienst unsere Körperlichkeit verleugnen müssen: Welche Glieder dürfen wir bewegen? Welche Sinne werden angesprochen? Haben Kranke einen Ehrenplatz darin? Tut er auch einem geistig Schwachen gut? Werden wir angesprochen auf unsere Geschöpflichkeit? Müssen wir, was uns mit andern Geschöpfen gemeinsam ist, verdrängen, oder darf auch das Tier in uns seinen Schöpfer loben? Dürfen wir im Gottesdienst der tiefen Beziehungen inne werden, in denen unser Leben mit dem Kosmos steht? Und umgekehrt: Was sagt es uns, daß das Neue Testament sich nicht genug tun kann damit, Jesus zusammenzubringen mit den Elementen der Schöpfung: Licht, Sonne und Stern; Wasser, Weizenkorn, Brot, Salz, Honig, Wein; Fisch, Henne, Lamm; Tür, Fundament, Schlußstein; Sklave, Hirte, König, Bauer – welche dieser Kreaturen haben wir je genugsam angesehen?

Mir scheint: Naturverlust, Wirklichkeitsverlust und Sakramentsferne sind drei Worte für denselben Vorgang in der Neuzeit. Lassen wir aber Brot und Wein sein, was sie im Sakrament sind, dann fällt von dem winzigen Sakrament Licht auf die ganze Wirklichkeit, so daß wir von einer sakramentalen Struktur der Wirklichkeit sprechen können. Nun kann keiner mehr den Anspruch erheben, Realist zu sein, der keinen Blick hat für diesen Charakter der Wirklichkeit.

Ein kurzer Blick auf die Struktur unserer Wirtschaft zeigt das. Diese Wirtschaft funktioniert im Ganzen als Raubbau; als Raubbau an der menschlichen und außermenschlichen Natur. Ihr charakteristisches Endprodukt ist Müll. Darin kommt zum Vorschein, daß die Industriegesellschaft den wahren Zusammenhang von Leben und Sterben verkennt. Dieser Zusammenhang kommt im *Opfer* ans Licht.

Wie aber können wir verstehen, was die Kirche meint, wenn sie vom „reinen Opfer" Christi spricht, wenn wir nichts wissen vom Opfer, wie es in den Religionen dargebracht wurde und wird. (Zur nötigen Umkehr gehört ja auch dies, daß wir unseren als solchen tief unchristlichen Hochmut gegenüber lebenden und toten Religionen erkennen und bereuen!) Dazu werfen wir einen Blick auf die jüdische Schächtung. Nach dem Bericht der Apostelgeschichte haben sich die Teilnehmer des sogenannten Apostelkonzils darauf verständigt, daß alle Christen – also auch die früheren Heiden – sich zu enthalten hätten „von Götzenopferfleisch, von Blut, von Ersticktem und von Unzucht" (Apg 15, 29). Es blieb also in der frühen Kirche das Gebot in Kraft, kein Blut von

Tieren zu genießen, also weder Fleisch von den in der Schlinge erdrosselten („erstickten"), noch von nicht geschächteten Tieren („Blut") zu essen. Denn (lesen Sie sich Lev 17,10–14 in der folgenden Übersetzung Martin Bubers[50] laut vor!):

ER redete zu Mosche, sprechend:
Jedermann vom Hause Jissrael und von der Gastschaft, die
   in ihrer Mitte gastet, wer allimmer Blut esse, –
mein Antlitz gebe ich wider die Seele, die Blut ißt,
ich rode sie aus dem Innern ihres Volkes.
Denn die Seele des Fleisches, im Blut ist sie,
ich gab es euch auf die Schlachtstatt, zu bedecken über euren Seelen,
denn das Blut, durch die Seele bedeckt es.
Daher spreche ich zu den Söhnen Jissraels:
Alljede Seele von euch esse nicht Blut,
und der Gastsasse, der in eurer Mitte ist, esse nicht Blut.
Jedermann von den Söhnen Jissraels und von der Gastschaft,
   die in ihrer Mitte gastet,
wer Jagdfang, Wild oder Vogel, erjagt, der gegessen wird,
hingieße er sein Blut und hülle es mit Erdstaub.
Denn die Seele alles Fleisches, sein Blut ist mit seiner Seele,
und ich sprach zu den Söhnen Jissraels: Blut alles Fleisches
   esset nicht, denn die Seele alles Fleisches, sein Blut ist's,
   alljeder, der es ißt, wird gerodet.

Das hebräische Wort *näphäsch*, das Buber hier mit Seele übersetzt, steht auch Gen 2,7 (– E):

Da formte Gott, der Herr, den Menschen aus Erde vom Akkerboden und blies in seine Nase den Lebensatem.
So wurde der Mensch zu einem lebendigen Wesen (näphäsch).

   Das Wunder der Lebendigkeit des Lebens – so ist es hier gesehen – ist im Blut. Das Verbot, Blut zu essen, heißt also: das Leben selbst ist tabu, unantastbar. Dies unantastbare Leben gehört Gott, also auf den Altar. Von dort wird es der

Erde zurückgegeben, die auf Gottes Geheiß die Lebewesen hervorgebracht hat (Gen 1,24). Der Jäger hat das Blut des von ihm erjagten Tieres zu beerdigen. Nur unter dieser Bedingung darf der Mensch das Ungeheure wagen, um seines eigenen Lebens willen Lebewesen zu töten. Im Gebot der Schächtung und im Verbot, Blut zu essen, wird dem Menschen also die Heiligkeit des Lebens, wird ihm Gott als der Schöpfer vergegenwärtigt. IHN vor Augen versteht es sich von selbst, daß es nie darum gehen kann, „die Fleischproduktion zu erhöhen", sondern darum, jene furchtbare Grenze so selten wie möglich zu überschreiten.

In allen Religionen ist dieses Wissen um die Heiligkeit des Lebens lebendig. Überall wird darum das Töten mit religiöser Scheu vollzogen.

Bei uns heute ist es oft schwer, für diese Haltung Verständnis zu wecken. Das wäre wohl schon dann anders, wenn jeder die Tiere, die er ißt, zuvor selber töten müßte. Er würde dann spüren, daß mehr Ehrfurcht vor dem Leben in ihm steckt, als er dachte. Wir müßten tief erschrecken, wenn bei uns gelacht wird über den Respekt vor Indiens heiligen Kühen. Ohne Respekt vor dem Geheimnis des Opfers der Religionen können wir uns dem Opfer Jesu nicht nähern.

Das Opfer Jesu hat die blutigen und unblutigen rituellen Opfer verdrängt. Nicht einmal die Übereinkunft von Apg 15,29 ist in der Kirche in Kraft geblieben. Soll das heißen, daß unter Christen das gottgeschaffene Leben von Tier und Pflanze weniger gilt als bei Heiden und Juden? Ist das Christentum die Entheiligung der Schöpfung? Wenn es so wäre, möchte ich nicht Christ sein. Aber ich verstehe das Neue Testament nicht so. Vielmehr sehe ich, daß das Opfer der Religionen im Opfer Jesu gut aufgehoben ist; daß in Jesus dem Schöpfer die Ehre wird, die ihm gebührt (Röm 1,21). Daß in Jesus wie das Gesetz (Mt 5,17) so auch das Opfer nicht aufgelöst, sondern erfüllt ist, sagt der Epheserbrief 5,2:

> Wandelt in der Liebe,
> gleichwie Christus euch hat geliebt

und sich selbst dargegeben für uns als Gabe
und Opfer, Gott zu einem lieblichen Geruch.

Gabe und Opfer – damit sind alle Arten gottesdienstlicher
Opfer umfaßt, die der Mensch darbringt aus Dankbarkeit
und der Sühne bedürftig. „Gott zu einem lieblichen Geruch"
wie das Opfer Noas (Gen 8, 21) und die durch Mose geboten-
nen Opfer (vgl. Ex 29; Lev 1–8; Num 15; 28–29; Sir 35, 8).
Wir müßten uns jetzt lange versenken in diese Welt des Opfers – bis hin zur Mutter Maria, wie sie die beiden Tauben
opfert für ihren Erstgeborenen (Lk 2, 22–24). Hier kann ich
den Leser nur bitten, nicht zuerst an den von den Propheten
beklagten Mißbrauch des Opfers zu denken (Am 4, 4 f.) und
auch nicht zuerst abstoßende Vorstellungen von greulichen
heidnischen Gebräuchen in sich zu erwecken. Vielmehr: im
Opfer spricht sich zunächst der Dank des Menschen aus für
den ihm gewährten Segen in Feld und Haus (Dtn 26, 1–15;
28). Dann das Wissen, daß jedes Töten ein Eingriff in die
göttliche Sphäre ist und darum nur vor IHM vollzogen werden kann. Und endlich das Wissen, daß der Mensch durch
sein Tun sich schuldig macht, daß durch diese Schuld das
Gleichgewicht der Dinge gestört wird und auch durch das
Opfer wieder – mit Gottes Hilfe! – ins Lot gebracht werden
muß. Dies alles steht dem Epheserbrief vor Augen. Und dies
alles, sagt er, alles was Juden und Heiden mit ihren Opfern
meinten, der eigentliche Sinn dieser ganzen Welt des Opfers
tritt hier im Opfer Jesu in völliger Klarheit ans Licht: das
Wesen des Opfers erfüllt sich in der Liebe; die Liebe erfüllt
sich im Opfer; im Opfer erscheint das Wesen des Lebens als
Liebe.

Und wer wüßte eigentlich nichts von diesem Zusammenhang zwischen Opfer und Leben? Wer heute nach dem Sinn
seines Lebens fragt, fragt er nicht danach, wofür er sich guten Gewissens einsetzen kann? Sich: das ist sein Leben. Wofür es sich zu leben lohnt, ist also einzig das, wofür es sich
zu sterben lohnt. Je hingebungsvoller, desto lebendiger ist
unser Leben (Lk 17, 33). In dieser Hingabe geschieht ein

Tausch: der „Inhalt" meines Lebens ergreift Besitz von mir. So wurde Christus dem Apostel so sehr zum Inhalt seines Lebens, daß er sagen konnte (Gal 2,20; Phil 1,21):

> So lebe nun nicht mehr ich,
> sondern Christus lebt in mir

und

> Christus ist mein Leben
> und Sterben ist mein Gewinn.

Wo einer so hingegeben ist an den Gegenstand seiner Freude und Liebe – bis hin zur seligen Selbstvergessenheit des spielenden Kindes – da erscheint anderen dieser Gegenstand meiner Hingabe – so wie Musik nur im hingebungsvollen Spiel rein erscheint. Da erweist sich dann, wem ich in meinem Leben in Wahrheit diene, dem Leben oder dem Tode. An meinen Früchten werden andere mich erkennen: wenn ich mich wie ein Baum dem Lichte zuwende, wird das Licht reifen lassen, was für andere genießbar ist und wofür sie danken können (Mt 5,16; 7,20; 2 Kor 4,12). Die „Werkgerechtigkeit" dagegen mißbraucht den andern und alles Gute als Sprossen für die Leiter irdischer und himmlischer Selbsterhöhung. Da gibt es keinen Tausch. Wo es keinen Tausch gibt, ist Leben nicht lebendig. Opfer, bei denen nicht eins für das andere zum Gegenstand des Dankes werden kann, gefallen Gott nicht (vgl. Ps 40,7).

Immer wieder spricht Paulus von diesem Tausch: Jesus wird arm, die Gemeinde durch seine Armut reich (2 Kor 8,9); Jesus wird zur Sünde und die Gemeinde zu seiner Gerechtigkeit (2 Kor 5,21). Der Tausch vollzieht sich auch zwischen dem Apostel und seinen Gemeinden: am Apostel sieht man Sterben, an der Gemeinde Leben (2 Kor 4,12). Wie im Herbst bei der Kartoffelernte: da findet sich mitunter eine ganz schwarze, faulig aussehende Kartoffel; wirf sie nicht gleich weg – es ist die Mutterkartoffel, aus der die festen, duftenden Knollen kamen! Dieser Tausch geschieht im täglichen Leben: einer trägt die Last, die Belastung, die der andere für ihn, die Familie, die Gruppe, die Gemeinde darstellt (Gal 6, 2).

In den Tagen, da ich dies schreibe, wurde Maximilian Kolbe heiliggesprochen. Da leuchtet das Opfer so klar, daß jedes Kind es fassen kann: Kolbe starb für einen andern, einen Familienvater, der heute noch lebt. Kolbe wird es, so denke ich, als Gnade empfunden haben, daß sein Sterben in der Nacht des KZ so sichtbar dem Leben eines andern dienen durfte. Und auf der andern Seite: für den Geretteten und seine Familie läßt sich keine tiefere Verpflichtung zum Leben denken als die Erinnerung an jenes Opfer. Je tiefer wir Lebenden der Toten Opfer wahrnehmen, desto tiefer und reicher wird uns das eigene Leben, desto williger das Herz zur eigenen Hingabe. – Das Beispiel Kolbes wäre freilich falsch verstanden, wenn uns das Wort Opfer zum Begriff des Heroischen würde und nicht Hinweis bliebe auf den meist stillen Grundvorgang allen Lebens.

Im Opfer will also das Wesen des Lebens erscheinen. Nicht dadurch gewinne ich Leben, daß ich es dem andern nehme: „Stirb du heute, und ich morgen!" Leben gibt es, wie Liebe, nur geschenkt: im dankbaren und tatkräftigen Empfangen und Erfassen dessen, was sterbend in meinem Leben aufgehen und Frucht bringen will. Dieses Leben ist schön. Häßlich ist, wenn dem Vergänglichen Unvergänglichkeit abgetrotzt werden soll: die unverwesliche Plastikfolie, das gewaltsam auf jung geschminkte Gesicht, das Unorganische aller Art. Als schön empfinden wir Leben nach Art des Blattes, das sich im Herbste leise vom Baume löst und am Boden vergeht, dem Leben dienend zu neuer Kraft. Hölderlin (in „Mein Eigentum"):

> Doch heute laß mich stille den trauten Pfad
>   Zum Haine gehn, dem golden die Wipfel schmückt
>   Sein sterbend Laub –.

In der Tatsache, daß wir wieder zu Erde werden (Gen 3, 19), liegt so wenig ein Fluch wie im Fallen des Herbstlaubs. Das Furchtbare ist nicht, daß wir sterben müssen, sondern daß wir nicht sterben können – uns nicht lösen können, wie das Blatt sich löst; nicht entschlafen wie ein kleines Kind am Abend einschläft. Der Tod ist bitter (vgl. 1 Sam 15,32), weil wir uns fort und fort von ihm das Unwidersprechliche vorhalten lassen müssen: zu spät! Wie ein grausiger Strudel verschlingt dieses „Zu spät!" jede Möglichkeit zur Wiedergutmachung, jede Selbstrechtfertigung. Unerbittlich reißt dieser Strudel auch noch den verzweifelten Glauben weg, daß mit dem Tode alles aus, und ich dort jeglicher Verantwortung enthoben sei. Nur *eine* Stelle gibt es, wo wir das „Zu spät!" wahr sein lassen können: dort, wo der Christus segnet mit den durchbohrten Händen, dort, wo wir das Wunder der Vergebung rühmen als Wunder des Gottes, der alles neu macht, des Schöpfers (Offb 21,5). Und das ist der Ursprung des Neuen Testaments: daß der Tod selbst uns diesen Christus vor Augen halten muß. Tod, wo ist dein Stachel? Hölle, wo ist dein Sieg? (1 Kor 15,55).

Blicken wir von hier aus noch einmal auf unsere Welt: Das Opfer der Religionen können und wollen wir nicht wiederherstellen. Es ist aufgenommen und aufgehoben im Opfer Jesu. Wo aber die Kirche selbst dies Opfer nicht wirklich wahrnimmt, da lebt nicht etwa die alte Religion wieder auf, sondern da macht sich jene Todesreligion breit. Keine Religion hat je so ungeheuerliche Opfer an Pflanzen, Tieren und Menschen gebracht wie diese Todesreligion unseres Jahrhunderts. Sie dienen dazu, Götzen wie „nationale Größe" oder „Wirtschaft(swachstum)" gnädig zu stimmen. Das am leichtesten zu durchschauende Beispiel von unzähligen ist die Frage der Geschwindigkeitsbegrenzung auf Autobahnen. Höhere Geschwindigkeit – mehr Tote und Krüppel, Witwen und Waisen. Niemand bestreitet es. Aber: wer wird die schnellen Autos kaufen, wenn man nicht schnell damit fahren darf? Und was wird aus den Arbeitsplätzen derer, die diese schnellen Autos bauen? Also müssen Menschenopfer gebracht werden, damit Menschen „leben" können. – Doch was da geschieht, verdient den heiligen Namen Opfer nicht.

Denn im Unterschied zum wirklichen Opfer wird hier der Zusammenhang zwischen Leben und Sterben verheimlicht, vertuscht, verschwiegen, verharmlost so weit es immer geht. Dem geopferten Leben werden Würde und Dank vorenthalten. Die Welt des Räubers ist das gräßliche Zerrbild der Welt des Opfers, des sakramentalen Wesens der Wirklichkeit.

Die Welt des Opfers vor Augen, des IHM gefälligen wie seines finsteren Gegenstücks, spricht das Neue Testament vom Opfer Jesu. Nun, den Gekreuzigten vor Augen, ist es auszusprechen: Das Leben ist erschienen (1 Joh 1,2) als die Einheit von Tod und Leben in der Liebe (1 Joh 3,16):

> Daran haben wir erkannt die Liebe,
> daß ER sein Leben für uns gelassen hat;
> und wir sollen auch das Leben für die Brüder lassen.

Daß Johannes und seiner Gemeinde in Jesu Kreuz die Liebe aufging und in der Liebe das Leben, das von Anfang an war (1 Joh 1,1–2), das bleibt das ewig wunderbare Ereignis des GEISTES (1 Joh 4,13 f.):

> Daran erkennen wir,
> daß wir in IHM bleiben
> und ER in uns,
> daß ER uns von Seinem GEIST gegeben hat.
> Und wir haben gesehen
> und bezeugen,
> daß der Vater den SOHN gesandt hat
> zum Heiland der Welt.

Wenn *dieser* Vater den Sohn sendet, so kann die Sendung des Sohnes nicht weniger betreffen als das Ganze. Wenn „die Evolution" Jesus hervorgebracht hat, und wenn es Sinn hat, davon zu sprechen, daß im Opfer Jesu die Liebe als das Wesen des Lebens erschienen sei, was heißt das für die Welt der Evolution? Wenn wir zu spüren beginnen, daß es in Jesus um den Sinn der *Welt* geht, dann erst haben wir angefangen, im Neuen Testament zu buchstabieren.

Wer nun bekennt,
daß Jesus GOTTES Sohn ist,
in dem bleibt Gott
und er in Gott.
Und wir haben erkannt und geglaubt die Liebe,
die Gott zu uns hat.
GOTT IST LIEBE;
und wer in der Liebe bleibt,
der bleibt in Gott
und Gott in ihm (1 Joh 4, 15 f.).

Für mich sind dies die höchsten Worte des Neuen Testaments. Und sie gehören in die Feier der auf Christus getauften, zum Mahl versammelten Gemeinde. Versammelt sind die um dieses Bekenntnisses willen Angefeindeten. Und ihr Sichversammeln ist selbst ein Akt des Bekennens. Ich höre diese Gemeinde beten. Ich höre, wie ihre Neugetauften ihr Taufbekenntnis wiederholen. Ich denke daran, daß der eine oder die andere dieses Bekenntnis mit dem Martyrium besiegeln werden. Aber das wird im Grunde nichts anderes sein, als was hier geschieht: das Ja zu seinem JA, das Bleiben in seiner Liebe. Ich blicke auf den Altar und sehe das Brot, bestimmt dazu, gebrochen und unter die Anwesenden verteilt zu werden. Ich sehe, wie es mit der Hostie jedem in den Mund gelegt wird „Gott ist Liebe". Ich höre, wie dies die Versammelten ins Loben und Singen drängt. – So versuche ich den Text zu lesen: jedes Wort in das Licht haltend, das vom Altar her leuchtet.

An diesem Altar kann keiner das Brot nur für sich empfangen. Würdig des HERRN empfängt er es allein so, daß er es dem andern gönnt. Das rechtfertigende Wort mutet mir den Glauben und die Freude daran zu, daß der andere der ist, für den Christus gestorben ist; daß Gott den andern rechtfertigt ohne des Gesetzes Werke, allein durch den Glauben (Röm 3, 28), daß er dem andern vergeben hat – und so auch mir. Wie in Jesu Geschichte von den beiden Söhnen (Lk 15, 11–32), so will hier im Mahl das Pochen auf die eigene Gerechtigkeit gleichsam versinken in der namenlosen Freude darüber, daß er, der Gerechte, nun im Fest des Vaters für den Verlorenen erst in Wahrheit erkennt, was er am Vater hat!

So ist das WORT zu Hause in der Feier der Eucharistie. Und alles, was darüber zu sagen ist, über den Glauben und die Liebe, über die Rechtfertigung und ihre Feier, über das Opfer Jesu, die Freude Gottes und die freudige Gegenwart des GEISTES – das alles kann man ablesen an dieser unerschöpflichen Geschichte.

Und Eucharistie, Danksagung, bleibt der rechte Name für dieses Mahl. Im Namen Jesu: keine Sünde, und sei sie noch so furchtbar, erlaubt mir nun noch, dem Schöpfer den Dank zu versagen. Noch und gerade über dem letzten Veilchen dieser Erde und über dem letzten Stücklein Brot haben wir ihm mit unbeschreiblichem Zittern zu danken (vgl. Mk 6,41; 8,6; 14,22). Und wenn der letzte Mensch den atomaren Weltbrand entfacht hat und mit seiner fliegenden Kommandozentrale auf der verwüsteteten Erde landet, dann küsse er den Boden, greife einen Stein, halte ihn ins Licht, betrachte ihn und spreche: *Du* hattest es gut gemacht!

> CHRISTE
> DU LAMM GOTTES
> DER DU TRÄGST DIE SÜND DER WELT
> ERBARM DICH UNSER
> AMEN

Hinweise

Motto: Das Zitat aus Hariri nach der Übersetzung Friedrich Rückerts, Die Makamen des Hariri, in dessen Gesammelte Werke, hg. Conrad Beyer, Leipzig o. J., Bd. 6, S. 12.

Vorwort: E. F. Schumacher, Rat für die Ratlosen, Hamburg 1979, S. 189. – Über Schumacher: Wolfgang Hädecke, Versuch über Ernst Friedrich Schumacher, Studien und Dokumente – Schriftenreihe der Max-Himmelheber-Stiftung, 8, 1982 (Postfach 1209, 7292 Baiersbronn 1).

[1] Als Fischer-Taschenbuch, Frankfurt 1978. – Von Herbert Gruhl jetzt: Das irdische Gleichgewicht – Ökologie unseres Daseins, Erb Verlag, Düsseldorf 1982.

[2] Kleiner Katechismus, Erklärung des Ersten Artikels des Glaubensbekenntnisses, z. B. in Werke [Anm. 6] Bd. 3, S. 173.

[3] 5. Buch, 7. Kapitel.

[4] Es gibt auch einen schönen und brauchbaren Sinn des Wortes auslegen, nämlich: auslegen, wie ein Kaufmann seine Waren, wie ein Künstler sein Werk zur Betrachtung auslegt.

[5] Zitiert nach: Ulrich Schoenborn, Evangelium – Ferment der Befreiung. Bibelverständnis und befreiender Umgang mit der Bibel in Lateinamerika, Deutsches Pfarrerblatt 1982, 202–205, S. 204.

[6] Sendbrief vom Dolmetschen 1530, z. B. in: Ausgewählte Werke Münchener Ausgabe, Kaiser Verlag, Bd. 6, S. 10–20; S. 14.

[7] Auf Martin Bubers in Gemeinschaft mit Franz Rosenzweig geschaffene Übersetzung des Alten Testaments sei nachdrücklich hingewiesen.

[8] Joseph Wittig, Leben Jesu in Palästina, Schlesien und anderswo, Gotha 1927, Bd. 1, S. 267.

[9] Vorrede zum Kleinen Katechismus, z. B. in Werke [Anm. 6] Bd. 3, S. 167.

[10] Abgedruckt in: Dietrich Bonhoeffer, Widerstand und Ergebung.

[11] Philipp Vielhauer, Geschichte der urchristlichen Literatur, Berlin [2]1978, S. 213.

[12] Deutsche Übersetzung der Ignatiusbriefe z. B. in: Schriften des Urchristentums, hg. von Joseph A. Fischer, Bd. 1, Wissenschaftliche Buchgesellschaft, Darmstadt, [8]1981; das Polykarpmartyrium bei D. Nestle, aaO. [S. 10] S. 61–64.

[13] A. a. O. [Anm. 8] S. 272.

[14] Ernst Fuchs, Zur Frage nach dem historischen Jesus – Gesammelte Aufsätze II, Tübingen 1960, S. 421.

[15] Letzte Aufzeichnungen und Zeugnisse deutscher Widerstandskämpfer ge-

gen Hitler sind gesammelt in dem schönen Band: Du hast mich heimgesucht bei Nacht, hg. von Helmut Gollwitzer, Gütersloher Taschenbücher, Siebenstern Bd. 9, ⁵1977.

[16] Ernst Fuchs, Glaube und Erfahrung – Gesammelte Aufsätze III, Tübingen 1965, S. 201–209; 430 f.

[17] ders., Marburger Hermeneutik, Tübingen 1968, S. 252: „Wer liebt, der will auf keinen Fall allein errettet werden!"

[18] Rede im Britischen Rundfunksender am 26. 2. 1976. Deutscher Text in: Religion und Atheismus in der UdSSR – monatlicher Informationsdienst. Hg. Haus der Begegnung, Königstein/Ts., außerordentliche Nr., Juni 1976, S. 9.

[19] In: Du hast mich heimgesucht bei Nacht, siehe Anm. 15.

[20] Stellvertretend für viele, die hier zu nennen wären, weise ich hin auf: Carlos Mesters OC, Sechs Tage in den Kellern der Menschheit, Neukirchener Verlag 1982, Franz Werfel, Die vierzig Tage des Musa Dagh, die Werke Alan Patons.

[21] Ein Pogrom in Alexandria (Ägypten) im Jahre 38 n.Chr. beschreibt Philo von Alexandrien in seiner „Gesandtschaft an Caligula", Werke in deutscher Übersetzung, Band VII, Berlin 1964, S. 174–266, bes. § 119 ff.

[22] In: Nestle aaO. [S. 10] S. 56–72.

[23] In der mitreißenden Übersetzung Carl Beckers, München ²1961.

[24] Ernst Fuchs, Glaube und Erfahrung – Gesammelte Aufsätze III, Tübingen 1965, S. 465–469.

[25] Übersetzung nach: Gerd Schunack, Die Briefe des Johannes, Zürcher Bibelkommentare, NT 17, Zürich 1982, S. 17. – Diesen Kommentar möchte ich bei dieser Gelegenheit empfehlen!

[26] Jeremias Gotthelf (1797–1854), Wie Uli der Knecht glücklich wird, 1841, 3. Kapitel. – Gotthelfs Werke sind heute auch als Taschenbücher erhältlich. Daß sie zur bevorzugten Lektüre Dietrich Bonhoeffers in dessen Haft gehörten, beweist, daß Gotthelf gerade am Rande des Abgrunds sich bewährt!

[27] Vgl. Gerhard Ebelings wichtige Passage über „Das Phänomen der Vollmacht" in seiner Dogmatik des christlichen Glaubens, Band II, Tübingen 1979, S. 412–421.

[28] Vgl. z.B. Jerusalemer Talmud in deutscher Übersetzung, I Berakhoth, Tübingen 1975, S. 194 (VII, 5).

[29] Vgl. meine Nacherzählung von Lk 15,11–32 aaO. [S. 10] S. 115–122.

[30] Ernst Fuchs, Hermeneutik, Tübingen ⁴1970, § 17, bes. S. 225 ff. (Wahrscheinlich das wichtigste Kapitel, das Fuchs geschrieben hat!)

[31] Die Strophe mit dieser Zeile fehlt in der Wiedergabe des Liedes im GOTTESLOB, vgl. dort Nr. 163.

[32] Vgl. die schöne Einführung von Ernst Benz, Geist und Leben der Ostkirche, Hamburg 1957; zur Ikone als Fenster S. 10 f.

[33] In: Robert Hotz, Gebete aus der orthodoxen Kirche, Einsiedeln/Köln 1982, S. 89.

[34] Im Urtext von Ps 127 steht nur „Samen"; „edel" fügte Luther in seiner Übersetzung hinzu – mit Recht, denn jetzt wird hörbar, was der Text mit „Samen" meint!

[35] Diese Möglichkeit besteht lexikalisch (Walter Bauer, Wörterbuch zu den Schriften des Neuen Testaments).

[36] Vgl. Nestle, aaO. [S. 10] S. 92–96.

[37] Rudolf Bultmann, Der zweite Brief an die Korinther, Göttingen 1976, S. 260.

[38] Ernst Bloch, Atheismus im Christentum, Frankfurt 1968.
[39] A. a. O. [Anm. 28] S. 234 (Regen), 236 (Schlachten), 241 f. (Lobpreis für das Böse).
[40] Hans Jonas, Das Prinzip Verantwortung, Frankfurt 1979, S. 57.
[41] Albert Schweitzer, Die Lehre von der Ehrfurcht vor dem Leben. Grundtexte aus fünf Jahrzehnten. Hg. von Bähr, München ²1976.
[42] Kleiner Katechismus, aaO. [Anm. 2], S. 174.
[43] EKG 24.
[44] Kleiner Katechismus, aaO. [Anm. 2], S. 173.
[45] Vgl. dazu meinen Aufsatz: Über Häresie und Langeweile in der Auslegung des Neuen Testaments. Deutsches Pfarrerblatt 1980, S. 490–494.
[46] Angelus Silesius (Johann Scheffler, 1624–1677), Cherubinischer Wandersmann I, 108.
[47] Sermon von dem Sakrament, 1526. D. Martin Luthers Werke, Weimarer Ausgabe, Band 19, S. 487.
[48] Ebd. [Anm. 47], S. 488.
[49] Zitiert nach: Texte der Kirchenväter, hg. von Alfons Heilmann, Band 4, München 1964, S. 285 f.
[50] Die fünf Bücher der Weisung, verdeutscht von Martin Buber gemeinsam mit Franz Rosenzweig, neubearbeitete Ausgabe Köln 1954, S. 320.

Register

Religiöse Bildungsarbeit

Eugen Biser
Glaube nur!
Gott verstehen lernen
Band 800, 144 Seiten

Gisela Hommel
Die Werke der Barmherzigkeit
Wer ist heute unser Bruder?
Band 881, 144 Seiten

Alfons Kemmer
Das Neue Testament
Eine Einführung für Laien
Wie man die Bibel besser versteht
Band 562, 240 Seiten, 3. Aufl.

Alfons Kemmer
Gleichnisse Jesu
Wie man sie lesen und verstehen soll
Band 875, 128 Seiten, 2. Aufl.

Das Evangelium der Urgemeinde
Wiederhergestellt und erläutert
von Rudolf Pesch
Band 748, 224 Seiten, 2. Aufl.

in der Herderbücherei